ÉCLIPSES ET JEANS

Données de catalogage avant publication (Canada)

Cadieux, Chantal, 1967–

Éclipses et Jeans

Pour les jeunes.

2-7621-1375-X

I. Titre.

PS8555.A34E24 1987 jC843'.54 C87-096283-3
PS9555.A34E24 1987
PQ3919.2.C32E24 1987

Maquette de la couverture et illustration :
Jean Zakarauskas

Dépôt légal : 3e trimestre 1987,
Bibliothèque nationale du Québec.

Composition et mise en pages :
Typoform, Québec.

Achevé d'imprimer à Montmagny, le 1er septembre 1987,
aux Éditions Marquis, pour le compte des Éditions Fides.

Roman

ÉCLIPSES ET JEANS

Chantal Cadieux

1

Un beau soleil s'est levé presque en même temps que moi, le jour de mes quinze ans. Une musique endiablée s'échappait de mon nouveau réveil-radio reçu la veille, un peu en avance, de ma marraine qui me souhaitait tous ses voeux. Je l'aimais bien cet appareil radio, car ce matin-là, il me communiquait sa bonne humeur.

Je suis descendue du lit en dansant, toute heureuse de retourner à la polyvalente après une semaine de repos à la maison. Un mal de gorge accompagné d'un superbe mal de tête avaient convaincu ma mère de me garder à la maison pour quelques jours. Malgré la belle vie que je menais, regardant la télévision en grignotant des cubes de glace ou écoutant ma musique préférée, le retard que je prenais dans mes travaux scolaires m'incitait à retourner à mes habituelles occupations. Mes quinze ans arrivaient en courant et je ne voulais pas me sentir obligée de rester à la maison pour me rattraper dans mes travaux. J'avais en tête que mon anniversaire allait m'apporter joies, liberté, amitiés et sans contredit... Amour.

Je m'étais vêtue, comme à mon habitude, de façon très décontractée: un vieux jeans délavé recousu au genou droit, mon préféré, et un grand t-shirt blanc. Assise sur la rampe de l'escalier, à la façon d'une vraie *cow-girl*, je suis descendue au premier. Ma mère ne m'avait pas vue, par chance, sinon elle aurait tourné au violet pour me crier: « Anne-Sofie! Tu vas te tuer! Je te défends de recommencer! ». Mais ce matin-là, elle préparait le petit déjeuner en chantonnant un *C'est à ton tour*... Elle était même venue à ma rencontre en tourbillonnant pour me présenter l'assiette brûlante contenant un œuf et du bacon qu'elle avait elle-même préparée, caprice ultime qui m'était accordé le jour de ma fête.

Jessica, ma jeune sœur, attendait son petit déjeuner en frappant des mains, visiblement heureuse de la tournure de ce repas si souvent sans rebondissements et trop rapide. Jessica, âgée de huit ans, était la joie de vivre de mes parents. Depuis près de trois ans, elle avait appris à sourire dans son fauteuil aux roues d'acier.

— Youpi ! C'est la fête à Anne-Sofie... C'est la fête à Anne-Sofie ! Il va y avoir un gâteau avec plein de bougies, parce qu'elle est vieille. Plein de cadeaux, plein d'amis, ne cessait-elle de répéter les yeux pétillants de plaisir.

— Tu es certaine que j'aurai des cadeaux Jessy ?

— Plein, plein !

— Comme quoi ?

Il n'y avait rien à faire. Jamais Jessica ne dévoilait une surprise. Elle retenait un fou rire en même temps qu'une trop grosse quantité de céréales dans sa bouche, me voyant si anxieuse à lui arracher une réponse.

— Tu ne le sauras pas, ronchonnait-elle.

— Jessy ! Ferme ta bouche quand tu manges, c'est dégueulasse !

À chaque repas que je prenais avec elle, je la disputais à ce sujet. Malgré mes multiples menaces, elle ouvrait tout grand la bouche pour me faire rire ou tourner de l'œil. A chaque repas elle réussissait, je sortais de table sans toutefois être vraiment fâchée.

Après mon petit déjeuner rempli des rires de Jessica, je suis partie pour la polyvalente. J'ai attendu l'autobus au coin de la rue, près de la station de radio locale, comme à mon habitude. J'étais heureuse de retrouver mes amis que je n'avais pas vus depuis une semaine mais qui m'avaient tout de même donné de leurs nouvelles grâce au génie d'un certain Graham Bell.

Nous étions trois à prendre l'autobus ensemble et cinq autres nous retrouvaient à la salle publique de la polyvalente avant le début des cours. Formant un grand cercle dans un coin de la salle, nous écoutions les anciens et derniers *hits* du palmarès. Aussitôt montée à bord de l'engin de torture qui me menait à la polyvalente, j'ai entendu les cris de mes amis qui m'invitaient à les rejoindre à l'arrière.

— Bonne fête Anne-Sofie! Quinze ans! Toi t'es chanceuse... Crime que j'ai hâte de les avoir! s'est écriée Sylvie.

— C'est sa fête? Je ne savais pas. Bonne fête pareil! Hey! C'est la fête à Anne-Sofie!

Sylvie et Jodin étaient toujours aussi discrets. Chaque petit événement devenait pour eux la meilleure nouvelle, sujette aux meilleures blagues, à révéler au monde entier. Si ce n'était pas ma nouvelle coiffure, mes nouvelles boucles d'oreilles ou mon nouveau bouton d'acné exhibant fièrement sa rougeur, c'était mon anniversaire qu'ils s'époumonaient à annoncer à l'autobus au grand complet.

— Les nerfs à matin! ai-je répliqué, comme chaque jour.

Je ne savais pas pourquoi, mais depuis plusieurs mois, ou peut-être même quelques années, j'avais pris l'allure d'une dure. Avec mes airs bêtes ou mes rires forcés, qui sonnaient faux, je me sentais forte et admirée de plusieurs. Personne ne semblait se douter qu'au fond j'étais une fille super sensible qui pleurait en écoutant un film triste et qui ne sortait pas pour ne pas décevoir ses parents ou pour lire des histoires à sa sœur handicapée. On aurait même pu me qualifier de *kétaine*, à mon avis.

À l'école ou ailleurs, je n'avais qu'une idée: surpasser. Non pas mes résultats scolaires car d'eux, je me foutais éperdument. Personne ne m'encourageait de toute façon. Ma sœur l'avait sans doute fait à quelques reprises, m'enviant de pouvoir fréquenter une école publique, mais comme elle était beaucoup plus jeune que moi, je n'y avais pas prêté attention.

Mon désir de surpasser se produisait lors de petites compétitions que notre imagination fertile créait continuellement. Si ce n'était pas de sauter les cinq marches de l'escalier du patio à bicyclette, c'était de casser les pots de fleurs en céramique du vieux voisin avec l'aide de nos valeureux *slap shot*-maison. Ou encore, ce qui était alors dix fois plus excitant: mettre une gomme à mâcher sur la sonnette de l'appartement de la bonne sœur d'à côté, ce qui faisait un vacarme terrible, jusqu'à ce qu'elle vienne l'en décoller.

Vers l'âge de douze ans, le vol à l'étalage est devenu mon plus captivant hobby. Nous allions Sylvie et moi, au centre d'achat sans un sou et nous revenions les poches de nos manteaux remplies des choses les plus inutiles. Mes parents ne me privaient pourtant de rien. À la maison, j'obtenais presque tout ce que je voulais. Le vol à l'étalage n'était pour moi qu'une envie folle, qu'un défi que je n'avais aucun mal à relever. Seulement un jour:

— Qu'est-ce que vous cachez là, mademoiselle?

— Moi? Rien, avait répondu Sylvie. Moi, je retenais un fou rire presque insupportable.

— Habituellement les gens payent ce qu'ils veulent apporter.

Et elle avait ouvert le manteau de Sylvie, sous lequel elle tenait cachés un béret de lainage rose et une brosse à dents Miss Piggy. Pourtant, d'habitude, la vieille taupe ne voyait rien.

— C'est du vol, ma petite fille. Tu vas faire de la prison pour ça.

— Ben voyons! Pas pour un béret!

— Oui, ma petite fille! Même pour un béret. Et même pour une brosse à dents!

— Mais...

— Comble de malchance ma petite fille, tu as les deux!

Je commençais à paniquer mais pas plus que Sylvie.

— Vous allez pas avertir la police? Ça n'a pas d'allure... Pas pour un petit béret de rien, pas pour une brosse à dents?

Sylvie avait les larmes aux yeux. J'ai donc pris la parole avant qu'elle ne fonde en larmes, ce qui aurait fait trop plaisir à la vieille sorcière.

— Madame, on n'est pas des vraies voleuses.

— Mauvaise démonstration, les filles.

— C'était une farce, une espèce de défi. On ne voulait pas vraiment...

— Elles disent toutes ça.

— Si on était des vraies volęuses, on ne se serait pas fait prendre. Vous pourriez nous donner une chance...

— La chance c'est que je suis pressée! Et puis, avant que ton amie ne me fasse le spectacle de ses larmes de sincérité, je vais vous laisser partir. Je vais appeler vos parents...

— Sont morts.

— Quoi?

— Je viens de vous dire qu'ils sont morts.

J'avais empoignée Sylvie par le capuchon de son manteau pour sortir au plus vite de cette boutique hantée avant que la vieille chauve-souris n'ait le temps de nous demander nos noms.

Nous l'avions échappé belle. Pourtant je ne pouvais croire qu'elle aurait pu alerter la police pour une banale histoire de béret-brosse-à-dents. Durant toute la journée et même durant la nuit, j'ai revu la scène en pensée et la panique me faisait dresser les cheveux. J'avais eu la frousse de ma vie. Tout ça à cause d'un béret et d'une brosse à dents qui ne nous plaisaient même pas.

Ce jour où j'ai fêté mes quinze ans a donné naissance à une espèce de petite révolte en moi, que je prenais plaisir à nourrir. J'avais réalisé que souvent on me demandait pour sortir et que jamais je ne pouvais accepter, c'est-à-dire mes parents n'acceptaient pas pour moi. Ils me défendaient carrément de sortir avec mes amis le soir, en me disant trop jeune ou en me lançant des choses qui me faisaient blêmir de honte.

— Sortir? Et ta petite sœur, elle? Elle ne se plaint pas, elle, de ne pas pouvoir aller courir avec des enfants de son âge, dehors. Toi, tu as toute la journée à l'école pour voir tes amis! Mais il ne te vient jamais à l'idée que rester avec ta sœur et nous pourrait te rapporter plus qu'une banale petite soirée avec tes copains?

— Mais maman, dis quelque chose!

— Claude, peut-être qu'elle pourrait aller danser avec eux, ce soir. Elle n'aurait qu'à rentrer tôt...

— Claire, on s'est déjà entendu là-dessus, il me semble.

— Oui, mais...

— Bon Dieu!

— Papa, j'ai vraiment le goût de sortir ce soir, tous les autres y vont...Maman, je ne rentrerai pas tard.

— Seigneur, pourquoi n'as-tu pas donner autant de bon sens à l'une comme à l'autre de nos filles? Claire, cette enfant n'a plus aucun respect envers nous...

Je m'apprêtais à sortir, ma veste de jeans sur le point d'être enfilée. Je regardais hargneusement mon père prendre une gorgée de café. La colère lui donnait du mal à avaler.

— Je pense que la caféine te rend nerveux papa.

Mon père a soupiré fort. Trop fort. Ma mère cachait mal son trouble.

— Anne-Sofie, tu parles à ton père.

— Je le sais.

Et je suis sortie de la cuisine en courant pour enfin sortir de la maison. Mon cœur battait à tout rompre. Je n'avais pourtant pas pris de café.J'ai dû m'avouer que la peur que mon père sorte de la maison pour me rattraper, avait plus d'effet sur moi que douze tasses de café en auraient eu. Maintenant, c'était certain je ne pleurerais plus devant les remarques de mes parents concernant mon manque de compréhension face à l'handicap de ma sœur.

Le lendemain soir et plusieurs autres après, j'ai riposté des « Est-ce que c'est de ma faute si elle est assise là-dedans pour le restant de ses jours? » et des « Fichez-moi la paix, laissez-moi donc vivre! » aux insinuations de mes parents. À chaque fois qu'ils laissaient échapper des remarques pour me punir de laisser tomber Jessica, je ne pouvais m'empêcher de dire des choses blessantes. Ils me provoquaient trop. J'avais les nerfs à fleur de peau. J'en oubliais les heures heureuses passées avec ma famille, à mon avis tellement lointaines qu'elles en devenaient sans importance.

Même quand Jessica me demandait de lui aider devant mes parents, je refusais catégoriquement en claquant la porte de ma chambre derrière moi. Je laissais ainsi une petite fille aux yeux tout tristes, qui n'y comprenait rien.

J'ai senti peu à peu Jessy s'éloigner de moi, tout comme mes parents le faisaient. J'aurais aimé, à plusieurs reprises, la serrer dans mes bras, lui dire que je n'étais pas fâchée pour vrai, que je m'excusais pour toutes les bêtises que j'avais dites sans avoir réfléchi, mais je ne pouvais pas. J'aurais de nouveau fléchi et je ne voulais pas. J'étais fatiguée de toujours faire attention à mes mots, de toujours penser deux fois pour ne pas blesser. J'étais fatiguée de ne pas être moi. Moi, celle qui a des rêves et qui voudrait pouvoir en parler. Celle qui a aussi besoin de tendresse, d'être embrassée avant d'aller dormir. Celle qui a besoin d'être écoutée et celle qui peut aussi faire des erreurs. Mais chez moi ce n'était plus possible. Il y avait certes eu un temps où tout était beau mais ce temps avait filé.

Dans ma chambre et dans ma garde-robe, rien ne manquait, mais dans ma tête quelque chose restait introuvable et c'était l'assurance d'être aimée, d'être importante. Ce que mes parents trop éprouvés ne pouvaient me donner.

2

Sans l'autorisation parentale, j'ai donc pris l'habitude de sortir un peu plus souvent chaque semaine et un peu plus tard chaque soir.

Je n'étais plus à mon aise chez moi. Mes parents qui, depuis longtemps, n'étaient pas très démonstratifs à mon égard, ne voulant pas que ma sœur sente qu'ils me préféraient à elle, ce qui aurait été faux de toute manière, devenaient pour moi de vrais étrangers.

Je ne les entendais presque plus prononcer mon prénom et à chaque fois que celui de ma sœur effleurait leurs lèvres, la rage me faisait déguerpir dans ma chambre.

Là-haut, j'écoutais mes disques ou je dessinais. Quand la tension devenait trop forte j'éclatais en sanglots et, pendant des heures, je me laissais consoler par mon sac de couchage violet qui m'entourait les épaules. Souvent je m'arrêtais de pleurer pour me demander pourquoi j'étais si triste et je demeurais sans réponse valable, me traitant d'idiote d'envier ma sœur de huit ans clouée dans son bolide tout rose.

Par chance, il y avait ces soirs où j'allais avec Sylvie et Jodin dans le petit bois derrière la polyvalente. Ils me redonnaient le goût de rire et de vivre. Nous sortions nos mobylettes et Sylvie amenait avec elle son beau magnétophone. Assis autour d'une vieille table de pique-nique, nous écoutions nos groupes préférés raconter nos rêves à leur façon.

— J'ai coulé mon examen de chimie, disait Sylvie.

— C'est pas grave, tu vas te reprendre au prochain, que je lui répondais.

— Ça vous tenterait pas d'aller au cinéma demain? demandait Jodin fidèle mangeur de pop-corn et de tout ce qui avait un lien avec son médium préféré.

— Moi, ça me tente pas mal, répondait Sylvie après une mûre réflexion où elle avait eu le temps de se ronger un ongle.

— Pourquoi pas? Je pense que Mario pourrait venir avec nous autres aussi. Il a lâché ses cours de judo, ça fait qu'il ne fout plus rien le mercredi soir.

Mario, partie intégrante du groupe, je ne l'oubliais jamais.

— Je vais l'appeler en arrivant ce soir.

J'étais certaine que Mario allait être content que je lui téléphone. J'étais bien avec lui, Sylvie et Jodin, même s'il nous arrivait de nous disputer assez pour passer au moins une semaine sans aller au cinéma ensemble.

Dommage que l'année scolaire finisse. Jodin s'était inscrit dans un programme d'échange bilingue pour tout l'été. Il partirait après les examens de fin d'année, tout comme Mario le chanceux qui allait passer l'été en France chez des amis de ses parents. Tout le monde avait quelque chose de prévu pour l'été, sauf moi.

Le soir quand j'arrivais, peu importait l'heure, je prenais un bon bain chaud super moussant. Après avoir relaxé au maximum, je prenais mon temps pour me regarder sous toutes les coutures dans le grand miroir entouré de lumières comme ceux des loges de théâtre.

Je n'étais pas trop mal physiquement. Je me plaisais même assez. Mes cheveux châtain-roux, que plusieurs pensaient colorés, longeaient ma nuque et frisaient sur le dessus de ma tête. Souvent je portais un ruban ou un bandeau pour changer ma coiffure. Mes yeux, presque violets, comme mon sac de couchage, m'apportaient de beaux compliments. J'en étais fière.

Une seule ombre à mon image, ou peut-être deux. Ma taille et ma poitrine. J'étais trop petite et mes seins étaient trop gros.

Mon mètre cinquante-huit et quelques poussières, j'arrivais à l'oublier quand je regardais vieillir ma sœur. Mon problème n'était vraiment rien à côté de ses petites jambes.

Je me comparais souvent à Jessica. Même si elle n'avait que huit ans et moi quinze, je me demandais: « Quand j'avais son âge, qu'est-ce que je pensais de ci, disais de ça? », et chaque comparaison me décourageait. Je n'étais rien, tout comme mon complexe de grandeur, face au courage et aux petites jambes de ma sœur. Surtout aux yeux de nos parents qui nous avaient vues grandir avec autant de différences.

Puis, ma poitrine s'était mise de la partie pour me contrarier. Dire que la plupart de mes amies se plaignaient de ne pas avoir de seins ou presque. Elles ne pouvaient penser que de mon côté, ce n'était pas toujours facile de dormir sur le ventre. Car je croyais que de cette façon, je pourrais ralentir la croissance exagérée de mon buste. Je me comparais donc aussi à mes amies. Et qui ne sait pas qu'à force de se comparer aux autres, on se trouve tellement de défauts qu'il en devient presque difficile de vivre? C'est donc lorsque je me suis aperçue que mes amies bénéficiaient d'une croissance tout aussi exagérée que la mienne mais tout simplement moins précoce, que je me suis prise en main. Je ne devais plus me comparer aux autres, pas même à Jessy. J'en ai fait le serment à mon complice le plus discret: mon miroir.

Je me suis dit qu'à quinze ans, je devenais de plus en plus jolie et de plus en plus brillante. Je devais croire en moi, car personne d'autre ne pouvait le faire à ma place.

Une semaine plus tard, à quinze ans et quatre mois, j'ai recommencé à vivre pour moi. Mes résolutions y étaient peut-être pour quelque chose, mais à dire vrai, je n'y pensais même plus, je n'avais plus le temps.

3

J'étais assise au salon ce samedi après-midi. Je regardais la pluie frapper contre la grande porte vitrée du patio faisant, une fois de plus, la gueule à ma mère. La raison de cette mésentente, qui n'avait rien d'extraordinaire, se résumait au fait que j'avais coupé les manches d'une veste en coton qu'elle m'avait offerte pour mon dernier anniversaire.

— Encore de l'argent jeté à l'eau! Tu n'auras donc jamais d'allure? Couper les manches de ta veste...Mais qu'est-ce qui t'arrive?

Elle cherchait mon regard, je baissais les yeux. Je ne voulais pas lui répondre. Elle pouvait crier, pleurer, ou me parler doucement, rien n'y faisait. Je ne l'écoutais plus.

— Je vais en parler à ton père, peut-être arrivera-t-il à te faire comprendre quelque chose. Couper les manches d'une veste neuve...

Elle marmonnait encore pour elle-même en allant répondre au téléphone qui s'était mis à sonner pour m'éviter de l'entendre encore me sermonner.

— Allô? Anne-Sofie? Non, elle est occupée présentement. Oui, je vais prendre le message.

Bondissant d'au moins deux mètres, j'ai rejoint ma mère pour lui arracher le récepteur des mains. En moins de deux, j'ai pris la parole. Ce n'était pas la première fois qu'elle me faisait le coup.

— Oui? Non, non, c'est correct. Ma mère ne m'avait pas vue entrer au salon...

Je continuais de la regarder. Elle s'est dirigée vers la cuisine me jetant un dernier regard rempli de colère, avant de disparaître derrière le mur tapissé de plantes vertes.

— Excuse-moi Sylvie, je n'écoutais plus. Qu'est-ce que tu disais?

— J'étais en train de te dire que mon frère se rend à l'exposition de la ville ce soir. Il y va avec ses amis.

— Super pour eux...

— Laisse-moi finir! J'ai parlé avec lui tantôt et il a accepté que j'aille avec eux. Un de ses copains a un petit camion et tout le monde monte avec lui.

— Super pour toi...

Je riais dans ma barbe. Je me doutais bien qu'elle allait m'inviter, à entendre le son si joyeux de sa voix.

— As-tu fini de m'interrompre? Il veut aussi que je t'invite, bien que j'invite quelqu'un et j'ai pensé à toi. Qu'est-ce que tu en dis? Tu peux venir coucher chez moi, il n'y a aucun problème tu sais.

— Je te dis que ça tombe bien! Ma mère est justement en maudit contre moi et en plus l'exposition, ça me tente vraiment. À quelle heure il faut que je sois chez vous?

— Je sais pas trop... Vers sept heures ça serait correct, on pourra placoter. Oublie pas tes affaires pour rester à coucher.

— Non, c'est comme si j'étais déjà rendue. À tantôt?

— C'est ça, à tantôt!

J'ai déposé le récepteur toute heureuse à l'idée de pouvoir échapper aux noirs regards maternels. Je suis montée à ma chambre préparer mes effets personnels pour la nuit et pour le lendemain. J'ai rangé le tout dans mon vieux sac à dos. En trois minutes et demie, j'avais choisi mes vêtements de la soirée. Je porterais un jeans, tout frais délavé avec de l'eau de javel, une blouse de coton blanc à manches courtes et ma veste grise nouvellement modifiée.

J'ai pris un bain et lavé mes cheveux, je n'avais jamais l'habitude de sécher mes cheveux avec un séchoir, l'air leur était de beaucoup plus bénéfique. Lorsque je suis descendue, bien avant sept heures, j'étais vêtue à mon goût, bien coiffée et bien maquillée.

Comme je n'avais pas envie de souper en famille, je suis remontée tout de go à ma chambre pour pratiquer les quelques accords de guitare que je venais tout juste d'apprendre. En fermant les yeux, je m'imaginais sur une grande scène, entourée d'une centaine de lumières colorées qui s'allumaient et s'éteignaient à tour de rôle, pour créer des effets des plus spectaculaires autour de moi. Devant ma scène, un vaste public applaudissait mes chansons. Combien d'heures ai-je pu passer chantant et mimant chaque nouvelle chanson de mes idoles? Incomptable. Je crois y avoir passé plus de temps qu'avec mes parents à cette période-là. Pourtant personne à la maison ne semblait se douter de ma passion pour la musique et les chansons. Devant un miroir se déroulaient mes plus grands rêves et mes allocations entières n'en finissaient plus de tourner sur mon système de son. J'aurais sans doute pu devenir une grande célébrité si quelqu'un d'important dans le métier m'avait entendue. À bien y penser qui aurait pu m'entendre? Je me refermais sur mes rêves-chantants aussitôt la porte de ma chambre refermée sur moi.

Un jour Jessica m'avait demandé si je voulais devenir chanteuse ou musicienne.

— Penses-tu que j'ai assez de talent pour ça? Niaise pas Jessy...

— Ben quoi? Tu chantes tout le temps! Je t'entends de ma chambre.

Puis voyant que je ne voulais pas ou feignais ne pas vouloir en parler, elle avait changé de sujet pour bavarder d'autre chose, mais moi j'avais la tête ailleurs. Je chantais à la Place des Arts.

Pour ce soir où j'avais la chance d'aller à l'exposition sans user mes pauvres fesses sur l'incomfortable siège de ma mobylette, cadeau pour mon dernier anniversaire, j'ai pratiqué ma leçon de guitare. J'ai aussi chanté quelques chansons tentant de m'accompagner avec le dernier caprice que mon père avait bien voulu me payer.

J'avais comme par magie oublié la querelle que j'avais eue avec ma mère. Je crois qu'elle aussi. Tout était revenu à la normale: je n'étais pas descendue pour souper avec ma famille et personne ne s'en était inquiété.

Quand l'horloge du hall d'entrée a sonné les sept grands coups, je suis descendue assise sur la rampe de l'escalier à la vitesse de l'éclair, criant le bonsoir à ma famille assise au salon devant la télé, épiant les moindres gestes de J.R. et compagnie sur une bande vidéo.

Du patio, j'ai crié à ma petite mère de ne pas s'inquiéter car je dormirais chez Sylvie. Je l'ai vue accourir à la porte pour me dire quelque chose. Elle devait m'avoir vue descendre assise sur la rampe de l'escalier. Comme j'étais déjà rendue au bout de la cour, je n'ai pas cherché à comprendre la signification de ses gestes colériques et je lui ai fait de grands signes de la main en riant.

Il m'apparaissait impossible qu'elle puisse s'inquiéter, en furie comme elle l'était. De plus, j'étais certaine qu'elle ne sortirait pas de la maison pour venir me rattraper dans la rue, comme mon père l'aurait peut-être fait. Je ne savais pas pourquoi je pensais cela de mon père, il n'était jamais venu dans la rue pour me ramener chez nous.

La soirée ne s'annonçait pas trop mal. Une chanson de Marjo me tournait dans la tête et mes ennuis s'étaient envolés.

4

Comme la ponctualité ne faisait pas partie de mes qualités, Sylvie m'attendait depuis un bon vingt minutes lorsque j'ai enfin mis le pied sur le seuil de sa porte. Sa mère rafistolait un bord de robe, assise dans la berçeuse antique de la cuisine.

— Tiens la belle Anne-Sofie!

— Salut Mme Bartelet.

— Comme ça, on sort ce soir?

— Ben oui, je suis assez contente que Sylvie m'ait invitée.

— Tu restes à coucher, hein? Vous allez rentrer tard, comme je vous connais.

— Merci là...

— C'est rien va.

Sylvie avait du mal à retenir son fou à l'idée d'aller à l'exposition.

— Je suis assez contente que tu puisses venir avec nous autres.

— Qu'est-ce qui aurait pu te faire croire le contraire? Je lui ai adressé un sourire complice, digne de la plus redoutable des filles qu'une mère puisse avoir.

— T'es folle La Richard! Je le savais, j'étais certaine que tu allais accepter. Il y a quelques mois j'en aurais douté mais plus maintenant.

Parmi mes amis, Sylvie m'apparaissait la seule qui puisse comprendre mes mésententes avec mes parents. Elle était même la seule qui ait pu un jour m'entendre raconter mes déboires avec ceux-ci.

Sylvie aussi aimait la musique. Chez moi, dans ma chambre, couchée sur mon sac de couchage fétiche, nous écoutions mes disques et je lui racontais ce qui me tourmentait. Avec elle, je n'avais rien à craindre. Elle gardait tous mes secrets. Elle était la meilleure confidente que je connaissais. Un jour, elle m'avait confié: « Quand tu me dis un secret, c'est vrai que c'est difficile à garder juste pour moi, alors quand j'arrive chez moi, je prends une feuille et un crayon pour noter ton secret. C'est comme si je l'avais raconté à quelqu'un d'autre. Ensuite, je cache la feuille dans une boîte, qui est à son tour cachée dans un coin , quelque part dans ma chambre. Tu sais comme c'est sens dessus dessous? » Nous avions douze ans. J'avais essayé son truc par la suite et ça fonctionnait. Je n'ai plus jamais dévoilé une confidence.

Arrivées au salon, Sylvie a synthonisé notre station de radio favorite. Nous nous sommes assises sur le gros divan, dont nous pouvions baisser le dossier qui pouvait masser le dos.

— Veux-tu quelque chose à boire?

— Non, rien. Merci quand même. C'est beau tes cheveux. Tu ne m'avais pas dit que tu allais les faire couper.

— C'était une surprise. T'aime ça?

— Oui. C'est super comme ça. Ben mieux qu'avant, je te le dis.

— Merci. Je ne suis pas encore habituée. Tantôt je regrettais mes grandes couettes.

— Voyons donc! Là t'es à la mode!

— Je le savais! Ça me surprenait aussi que tu ne gâches pas tous tes beaux compliments. Après les fleurs, voilà le pot, hein? Il n'y a vraiment jamais d'exception à la règle. Je faisais « dur » avant, c'est ça que tu veux dire?

— Ben non! Je te trouvais très très bien, mais là si tu ne pognes pas, ça donne rien.

— Hey! Tu sais bien que je ne me suis pas fait couper les cheveux pour ça! Quand même!

Sylvie aimait jouer à la fâchée. Surtout si elle voyait que je croyais à son jeu.

— Tu sais, mon frère va nous présenter à tous ses amis. Ça va être gênant.

— Ils sont comment ses amis?

— Je ne sais pas trop. J'en connais deux ou trois qui viennent ici souvent. Je pense qu'ils sont tous aussi cons que lui! Sylvie riait, souvent elle se trouvait drôle.

— Les filles, elles sont comment?

— Je ne les connais pas beaucoup. Il y a une Maryse, elle est pas mal « pétée » elle.

— Ça me surprend que ton frère veuille qu'on aille avec eux autres. C'est vrai qu'on les suivra pas toute la soirée mais on est plus jeunes qu'eux. Il n'a pas l'habitude de nous inviter, pour moi, il va y avoir une tempête de neige!

— Je ne pense pas que ça le dérange trop, trop. Il parlait au téléphone tantôt, moi, j'ai écouté sur l'autre ligne, il s'en est même pas aperçu. Il disait: « ma sœur va être avec une de ses amies ». Et puis il a ajouté qu'il t'avait vue souvent et que tu étais pas pire! Moi, j'étais crampée!

— Arrête, niaise donc pas. À quelle heure on part déjà?

— Mais regarde-moi ça! Modeste en plus. On n'aime pas les beaux compliments?

— Tu trouves que c'est un beau compliment toi, être qualifiée de « pas pire », d'après lui, je suis très loin du terme. Et ça, ce n'est pas du tout un compliment.

Sur ce, Steve est entré au salon lançant un manteau de jeans à la figure de sa sœur.

— *Let's go* les filles!

Il était âgé de dix-sept ans. Sylvie avait quinze ans depuis un mois. Steve avait un visage de clown. Il ressemblait beaucoup à Sylvie.

— On part déjà? a demandé Sylvie.

— Ben oui, a répondu Steve. T'as pas écouté au téléphone jusqu'à la fin?

— Plus con que toi, ça ne se peut pas! lui a relancé Sylvie qui était toujours d'une grande délicatesse avec son frère.

— Une autre de même et la tête te saute, O.K.? Et il le lui rendait bien.

Comme prévu, tout le monde est arrivé vers les huit heures et demie. De mon côté, je fondais à petit feu dans mes jeans délavés. C'était gênant, je ne connaissais personne. Chacun et chacune m'étaient présentés:

— Anne-Sofie, voici Maryse, Vincent, Marc-Alain, Solange, Marie...

Que de prénoms à retenir! À chaque présentation faite par Steve, je souriais bêtement répondant un « salut » ou répétant un « allô ». J'étais tout de même fière de partir avec eux pour l'exposition. Je me disais qu'à partir de ce soir-là j'agirais pour avoir l'allure d'une fille de dix-sept ans. Comme le disait Maryse, les petits jeunes ne m'intéresseraient plus. Elle avait sûrement raison.

5

Une petite van bleue nous attendait dehors. Son propriétaire m'avait été présenté quelques minutes auparavant. Il s'appelait Marc-Alain. Un garçon trop grand pour moi, aux cheveux noirs et aux yeux gris. Il m'avait beaucoup impressionnée, autant par son allure que par son assurance et sa bonne humeur. Il riait souvent, découvrant ses dents du haut qui pinçaient sa lèvre inférieure. Un simple petit détail, sans doute ridicule, qui m'apparaissait pourtant très séduisant.

— Embarquez tous, il y a de la place pour tout le monde! Un vrai 747! s'était-il écrié en prenant la poignée de la porte de son véhicule.

Il m'a regardée un instant. J'ai soutenu son regard. Maryse m'a ensuite poussée à l'intérieur de la camionnette et je suis allée m'asseoir près de Sylvie sur le petit banc qui longeait le côté. Douze passagers s'empilaient les uns sur les autres, autant par terre que sur le banc. C'était une chance que Steve nous ait invitées à aller avec eux.

— En avant la musique! c'était une fois de plus écrié le conducteur Aile de corbeau en tournant au maximum le volume de la radio d'occasion de son affreux moyen de transport bleu.

— On devrait arrêter au dépanneur pour acheter de la bière, moi j'en ai pas apporté de chez nous. C'était Vincent, un petit châtain clair aux lunettes rondes.

— T'as juste à arrêter chez Ti-Casse le super dépanneur. C'était Maryse, une grande fille mince aux cheveux foncés tout ébouriffés.

Marc-Alain avait fait un arrêt au dit dépanneur. Vincent et Maryse étaient descendus pour acheter la bière de ceux et celles qui en voulaient.

Un genre de sortie dont je n'avais vraiment pas l'expérience. Avec Jodin, Mario, Sylvie et les autres qui partageaient nos cours du secondaire, nos mini-discothèques au sous-sol des maisons de nos parents se résumaient en une infinité de *slows*, de boissons gazeuses et de poutines à la fin de la soirée. Où aller sans se faire demander nos cartes d'identité? Avec les amis de Steve, ce n'était plus du tout pareil. De la bière aux cigarettes allant jusqu'au joint invitant, rien de tout cela ne m'était familier. Il m'était déjà arrivé, bien sûr, de prendre une petite bière mais je n'aimais pas tellement le goût. Pourtant une gorgée de temps en temps me permettait de parler plus et d'avoir l'air plus vieille.

— Tu me dois deux piasses Maryse, je t'en avais donner cinq.

— Les nerfs Marc-Alain Chose! Il n'y a pas le feu là!

Les bières se promenaient de main en main, tout le monde croyait que c'était la sienne. Maryse avait raison de s'énerver.

— Hey! Laissez les caisses là! Je vais vous donner ce que vous avez payé. Tiens Steve, trois grosses pour toi et quatre petites pour ta sœur et sa copine. Ça fait...

Rendu à l'exposition, tout le monde avait en sa possession sa provision de bière. Maryse avait réussi un tour de force.

Il ne nous restait plus qu'à entrer sans payer. Steve a donc été chargé d'occuper les deux gardiens pendant que derrière le cabinet de toilettes publiques, nous rampions à tour de rôle sous la clôture comme de vrais professionnels.

— C'est combien l'entrée? a demandé Steve. Je l'entendais clairement.

— Trois piasses pour les étudiants, lui a répondu le gardien aux cheveux roux frisés. Je pouvais désormais les observer de l'autre côté de la clôture où j'essuyais mes genoux boueux.

— Il y a pas mal de monde, hein? continuait Steve.

— C'est une de nos meilleures années. Le manège tout croche qu'y a là-bas, au fond, ça marche comme c'est pas possible! lui a expliqué l'autre aux cheveux bruns graisseux, pitonnant sur son walkie-talkie qui ne cessait de demander des *dix quatre Roger?*

Lorsque Vincent a envoyé la main à Steve pour lui faire savoir que tout le monde s'était faufilé, comme ils en avaient convenu, Steve a payé son billet d'entrée et nous a rejoint près du manège tout croche.

— Et bien la Gang, ça m'a coûté trois grosses piasses. Vous me devez 25 cents chaque.

Après avoir payé notre dette à Steve, car les bons comptes font les bons amis, Sylvie et moi avons décidé de partir à l'aventure de notre côté. À notre grande surprise les autres ont protesté.

— Restez avec nous autres, ça va être le fun! a dit Maryse.

— C'est vrai, il n'y a rien là, pas vrai Steve? a ajouté Vincent, remontant ses lunettes rondes sur son nez.

Avec eux, nous avons fait le tour des manèges, jusqu'à ce que le mal de mer, ou de l'air, nous empêche de continuer. Chaque carrousel diabolique nous semblait avoir été le meilleur, le plus dangereux, le plus excitant.

— Celui qui nous renverse complètement à l'envers est écœurant! Je ne touchais même plus à mon siège!

— Je vous jure que j'ai eu peur de perdre mes lunettes. Sont neuves!

Steve et Vincent se racontaient leur aventure, certains que les autres, pourtant dans le même manège, n'avaient pu vivre de tels moments de désespoir.

Je regardais tout ce groupe aller et je sentais la bière engourdir autant mes jambes que les leurs. Y compris celles de Marc-Alain et celles de Marie. Je ne sais pas pourquoi celui-là m'attirait plus que les autres. Il devait avoir dix-sept ou dix-huit ans, son amie aussi. Ils allaient tous les deux au *High School* avec Steve. Marc-Alain portait, ce soir-là, un gilet noir avec le chiffre quarante-quatre en blanc sur le devant. Ses cheveux étaient courts sur les oreilles, un peu plus longs sur la nuque et, sur le dessus de la tête, ils étaient relevés. « Dans les airs », comme je disais, et vive le *spray net* !

Toute la soirée, j'ai rêvé de lui parler, de le faire rire, mais rien ne semblait vouloir sortir de ma bouche. Il est vrai qu'il était continuellement accroché à la taille ou à la main de Marie. Ils ne se quittaient pas d'une semelle. Puis, j'ai dû me faire une raison, quand, vers les minuit, Marc-Alain, Marie et la fourgonnette eurent disparu, laissant leurs dix passagers à pied.

— Je suis bien trop jeune pour lui... Qu'est-ce que je ferais avec un gars comme lui? me suis-je répété une bonne dizaine de fois pour tenter d'oublier ce garçon aux yeux trop gris.

Comme nous devions désormais rentrer par nos propres moyens, Vincent a eu l'idée de faire de l'auto-stop. Alors, par petits groupes de deux ou trois, sur le bord de la route qui nous conduisait chez nous, nous avons attendu l'âme charitable. Un groupe attendait sur la route et un autre attendait caché dans le fossé.

Je trouvais bizarre, presque débile, que personne n'en veuille à Marc-Alain et à Marie. Nul n'a même prononcé leur nom pendant l'attente d'une heure que nous avons subie sur la route.

De mon côté, je sentais la fatigue me gagner. Moi, j'en voulais à Marc-Alain de s'être sauvé avec sa petite amie. De plus, je pensais à mes parents et à Jessica qui s'inquiéteraient sûrement de me voir faire de l'auto-stop à une heure pareille. Mais mes idées noires n'ont pas fait long feu : je me suis dit que, comme d'habitude, mes parents devaient dormir à cette heure, s'étant assurés que Jessy allait bien et était confortablement couchée.

Enfin au bout d'une heure où Vincent n'avait cessé de faire le clown aidé par les sept bières qu'il avait ingurgitées en un quart de seconde, une auto s'est enfin arrêtée. Je me suis assise à l'arrière avec Maryse, Vincent a pris place à l'avant aux côtés du vieux conducteur aux cheveux argent. Au loin j'ai vu Sylvie, Solange et Steve sortir des buissons pour nous remplacer sur le bord de la route.

De la musique classique comblait le vide dans la belle voiture du vieil homme. Il me rappelait quelqu'un mais je ne pouvais dire qui. Il ne parlait pas. Vincent lui a dit où nous voulions aller. Le bonhomme a acquiescé d'un signe de tête et nous a fait descendre à l'entrée de la cour chez mes amis les Bartelet. C'était du très bon service, d'après Maryse.

Je suis sortie la dernière de l'auto. Un bruit semblable à celui du fauteuil de ma sœur s'est fait entendre. C'était le vieux chauffeur qui avait baissé la fenêtre de sa voiture pour sortir sa tête et me parler. Mon cœur battait à tout rompre, les autres étaient rendus au fond de la cour où quelques-uns étaient déjà arrivés. Que me voulait donc ce bonhomme?

— Je n'aime vraiment pas reconduire les auto-stoppeurs... Pas plus les auto-stoppeuses. Par contre, je ne me serais jamais pardonné de ne pas t'avoir fait monter lorsque je t'ai reconnue. Bonsoir, excuse-moi de t'avoir dérangée.

Et dans le même bruit du fauteuil de Jessy, la fenêtre s'est refermée. Il est enfin reparti. « Il doit être fou » ai-je pensé, les yeux encore agrandis par la peur.

Toute bouleversée, j'ai rejoint les autres qui placotaient assis sur les chaises longues restées sur le patio. Sylvie et Steve n'étaient pas encore arrivés. J'étais fatiguée.

— Bon, je pense que je vais aller dormir un peu. Salut et merci de m'avoir endurée...

Ils ont trouvé ça drôle. Je suis rentrée à la maison, courant presque jusqu'à la chambre de Sylvie pour aller me démaquiller et enfiler ma robe de nuit.

Le visage du vieux monsieur me poursuivait. Il avait l'air si bizarre, si triste. Tout à coup, comme j'allais me glisser sous les couvertures, je me suis rappelé qui il était.

Je me souvenais encore clairement du jour où Jessy avait perdu l'usage de ses jambes. Nous étions toutes deux à bicyclette. Il était tout près de neuf heures et la noirceur du mois d'octobre avait pris place.

Une automobile avait frappé la bicyclette de ma sœur et, sous mes yeux, elle s'était envolée à une hauteur incroyable, retombant comme un vieux sac de plumes quelques mètres plus loin.

Le temps s'était arrêté à ce moment précis. Puis un homme aux cheveux blancs était sorti de l'auto meurtrière en criant, pleurant et demandant pardon à tous les saints du ciel. Il se frappait la tête de ses mains toutes déformées. Cet homme qui, quelques années plus tard, allait me faire monter à bord de sa voiture un soir où je faisais de l'auto-stop. Il s'était par la suite avancé, toujours en pleurant, vers l'endroit où Jessy reposait toute repliée sur elle-même. Elle était inconsciente et un large flot de sang entourait sa tête.

Déjà une foule de passants s'était amassée autour du petit corps de ma sœur et personne n'écoutait les cris du vieil homme. Moi, je regardais le spectacle, l'affreux spectacle, sans être capable de bouger le petit doigt. De grosses larmes coulaient sur mes joues mais même avec de grands efforts, je n'arrivais pas à faire sortir quelque chose de ma gorge. Je suis restée là, sans bouger, « comme une sans cœur » avait laissé échapper une tante à l'âme trop charitable, lors d'une réunion de famille où je n'étais pas supposée assister, cachée derrière le rideau du salon.

Personne ne s'est occupé de ma stupeur. Je suis demeurée là, pendant plus d'une heure, sans bouger, à l'écart, pendant que mes parents et Jessica, emmaillotée dans une couverture, montaient à bord d'une ambulance qui criait, elle aussi, la mauvaise nouvelle à tous ceux qui n'avaient pu assister à l'événement.

Je suis retournée à la maison, en marchant à côté de ma bicyclette, sans savoir pourquoi. Arrivée chez moi, j'ai senti la plus grande solitude m'envahir. Personne n'était là pour s'occuper de moi. Ma mère autant par la surprise que par la peur, avait oublié ma présence. Avec mes douze ans et toute mon inquiétude, j'ai passé la nuit.

Je me souviens que aussitôt les yeux fermés, je revoyais Jessy volant comme un oiseau presque mort et retombant sur le sol dans un bruit qui donne une si mauvaise sensation au cœur et un grand frisson dans le dos qui n'en finit plus de durer. Tous ses longs cheveux emmêlés dans un cercle rouge et moi, l'imbécile , incapable de bouger, de parler, de l'aider à supporter sa souffrance.

Mes parents ne sont arrivés que le lendemain matin vers les neuf heures. Ils étaient changés. Je crois que papa avait vieilli. Il avait les yeux tout rouges et maman, tout comme lui, ne parlait plus. Ils se regardaient sans se voir, sans me voir. À ma grande surprise, j'ai vu ma mère aller vers la bibliothèque du salon et prendre dans ses mains tremblantes la vieille bible de son père. Elle la serrait contre son cœur en pleurant. Moi, je faisais semblant de regarder la télévison en épiant les moindres gestes de mes parents. Comme *Candy*, j'étais triste à mourir.

J'aurais voulu tout savoir. Au plus profond de moi, la crainte d'avoir perdu Jessy à tout jamais venait de naître. Malgré mon habituelle curiosité, je n'ai posé aucune question. Je n'ai pas suivi mon père qui s'est enfermé dans son bureau, ni ma mère qui est allée dans sa chambre en refermant la porte derrière elle. Elle aurait pu accrocher une petite pancarte à sa porte recommandant de ne pas déranger que je n'aurais pas mieux compris le message. C'est la gorge de plus en plus serrée que j'ai réalisé qu'ils ne m'avaient pas embrassée. À la télévision, Candy pleurait. On ne voulait pas lui donner de nouvelles de sa meilleure amie Annie qui était partie depuis longtemps.

Pendant près de six semaines, j'ai vécu dans un autre monde. J'allais à l'école à reculons apportant mon dîner que je préparais moi-même. Je n'aimais pas l'école mais je préférais de loin l'ambiance qu'il y avait là à celle qui régnait chez moi. Mes parents, entre leur travail et leurs visites à l'hôpital où dormait Jessica, ne me parlaient presque plus. Dans leur peine, ils oubliaient tout. Ils m'oubliaient.

Depuis l'accident de ma sœur jusqu'au jour où mon professeur inquiet à mon sujet leur a téléphoné, ils ne m'ont dit que quelques phrases allant du « n'oublie pas tes leçons » au « tu peux te coucher sans nous attendre ».

Ils me cachaient la paralysie, le coma de ma sœur sans savoir que je savais tout. Ils ne me disaient rien, pas même un petit « ne t'en fais pas, tu n'y es pour rien », qui aurait pu m'être si rassurant. Eh oui ! Je me sentais coupable de l'accident. Comme toute petite fille trop sensible, je me culpabilisais. C'était moi qui aurait dû m'être fait frapper par la voiture. Au moins, on se serait occupé de moi, devais-je m'avouer le soir du retour de Jessy.

Ce même soir, mon professeur avait téléphoné pour s'informer de moi. Il avait demandé à parler à mon père car ma mère n'était vraiment pas en mesure de parler. Mon père venait tout juste d'entrer portant Jessy dans ses bras. Papa avait tout d'abord refusé de lui parler mais comme M. Biron insistait, il avait accepté laissant Jessy aux soins de maman. Assise sur les marches de l'escalier de tapis, cachée derrière la rampe de bois foncé, je regardais la scène, écoutant du coin de l'oreille, mon père.

— Anne-Sofie ? Rien d'anormal à la maison. Vous savez, tout comme moi cher M. Biron que les enfants de son âge sont parfois lunatiques...

Avec les professeurs, mon père se forçait toujours pour bien parler. Là, il défendait son point de vue en ne laissant pas des yeux Jessica. Tout d'un coup, j'ai sursauté. Il avait monté le ton, fâché.

— J'élève mes enfants comme bon me semble. Veuillez donc lui enseigner ce que vous avez à lui enseigner et je m'occuperai du reste. N'ayez crainte. Bien le bonsoir, je suis pressé.

Et « cloc ». Le récepteur avait claqué mettant un point final à la conversation. Je n'ai plus prononcé le nom de mon professeur à la maison, tout comme je n'avais pas prononcé celui de ma sœur huit semaines durant.

Ce même soir, je me suis approchée de ma sœur longtemps après son arrivée. Elle était couchée dans un lit d'hôpital, semblable à ceux des bébés, emprunté à l'établissement où elle recevait des soins. Jessy avait changé, trop changé. Je ne savais plus si je serais capable de l'aimer. Ses yeux étaient fixes, elle ne marcherait plus comme me l'avait expliqué maman et elle nécessitait tous les soins d'un bébé.

Ce qui était le plus surprenant était qu'il fallait lui réapprendre à parler. Elle qui était le moulin à paroles de la maison. Petit à petit, je me suis habituée. De toutes mes forces, je m'employais à l'aider de façon à oublier ma culpabilité.

— Répète, Jessica...Ma-man.

— Ma-man...Tant bien que mal, elle répétait, sa langue se tordant dans sa bouche.

— Bravo Jessy! Bravo!

J'ai compris, plus tard, que mes parents aussi faisaient comme moi. Rien n'était impossible à réaliser pour Jessica. Avec toutes nos attentions, souvent inutiles, nous croyions voir s'effacer de notre pensée cette sacrée culpabilité.

Je m'apprêtais à sombrer dans un sommeil chaotique lorsque Sylvie est entrée.

— Je ne dors pas, Sylvie, tu peux allumer la lumière.

— Ah...Je suis fatiguée. T'as aimé ta soirée?

— Super! ai-je répondu en m'étirant de tout mon long dans le grand lit qui avait jadis appartenu à ses parents.

— Je te dis que j'avais hâte d'arriver. C'était tout un malade qui nous a embarqués. J'ai eu la frousse de ma vie. J'ai pensé à ce qui était arrivé à Leilanie...Le gars, il s'endormait au volant! Steve lui a dit d'arrêter à au moins vingt minutes de marche d'ici, pour nous laisser descendre. Ce bonhomme-là, il était complètement soûl.

Sylvie en tremblait encore. Elle a pris un temps et un soin fou pour enlever ses lentilles, qu'elle ne portait que depuis deux mois. Quand elle s'est enfin couchée, elle m'a demandé:

— C'est lequel parmi les gars que tu as aimé le plus?

— Je ne sais pas...Tu veux dire, celui avec qui j'aurais aimé passer la soirée?

— Oui, c'est ça.

— Bof, ni l'un ni l'autre, toi?

— Je ne te le dirai pas tant que tu ne m'auras pas avoué sur qui tu avais un *kick* ce soir.

— Écrase avec ça Sylvie...

— Excuse-moi, je suppose qu'il y en a plusieurs qui ont eu l'air si triste quand on s'est aperçu que la camionnette et son beau propriétaire avaient disparus?

— C'est parce que j'étais fâchée qu'on soit à pied pour rentrer, que j'avais l'air si déçue.

— Essaye pas, Anne-Sofie Richard, essaye pas!

Sylvie avait vraiment le tour de viser dans le mille. On ne pouvait rien lui cacher en ce qui concernait ce genre de choses.

— Tu vois tout?

— Je le savais, je le savais! Sylvie riait à s'en fendre en quatre.

— Toi, c'était qui? Envoie, dis-le!

— Bof…

— Tu étais supposée de me le dire, envoie!

— Bon…Je peux t'avouer que ça m'a fait quelque chose quand j'ai su que j'allais faire de l'auto-stop avec mon frère et pas avec Vincent.

— Vincent? Les lunettes?

— Qu'est-ce qu'il y a?

— Rien…Rien…Il est super le fun. Mais je n'aurais jamais pensé que tu pourrais l'avoir dans l'œil…Tu m'as toujours dit que tu aimais rien que les grands blonds.

— Plus maintenant.

Je n'en revenais pas. Sylvie qui trouvait de son goût le Vincent à lunettes contraire à son idéal de gars habituel. Je trouvais ça drôle. Je ne pouvais retenir mon fou rire, mais ce n'était pas méchant. Sylvie le savait. Elle s'est donc mise à rire aussi.

— Tu as toujours bien un avantage sur moi Sylvie Bartelet! Ton Vincent n'a pas de petite amie, lui!

Et j'ai eu un sourire très amer que j'aurais destiné à Marie-la-Pieuvre si elle avait été là. J'imagine que du coup elle aurait enlacé Marc-Alain pour l'entraîner au loin.

6

Sous peine de passer pour une idiote, j'avoue avoir vécu les trois semaines suivantes entre ma maison et celle de ma copine Sylvie. Ma guitare sur le dos, mes livres d'étudiante de secondaire trois sous le bras, je me rendais chez Sylvie dans l'espoir de rencontrer de nouveau la fourgonnette bleue qui hantait mes rêves.

Mais pendant tout ce temps, la camionnette que j'attendais n'est pas réapparue devant la maison des Bartelet. Je m'en inquiétais. J'essayais de me convaincre que Marc-Alain n'était pas libre et que de plus j'étais trop jeune pour lui, mais rien n'y faisait, mes pieds allaient sans que je m'en rende vraiment compte jusqu'à la demeure de mon amie.

De son côté Sylvie demandait toujours à son frère avec qui il sortait. Elle croisait les doigts en espérant que ce soit Vincent, ou Marc-Alain, qui vienne rejoindre Steve chez eux. Malheureusement pour nous, Maryse semblait la seule depuis quelques jours à venir rejoindre Steve.

Elle entrait en coup de vent et ressortait dans le même style presque tous les jours depuis l'exposition.

Elle prenait rapidement le temps d'embrasser Steve lui annonçant qu'une fois de plus elle était pressée.

— Salut mon bel Apollon ! lui lançait-elle s'assoyant sur ses genoux s'il était assis ou s'allongeant sur lui, s'il reposait sur le canapé du salon.

Mme Bartelet les regardait discrètement avant de retourner à ses petites affaires en hochant la tête: « il n'y a plus d'enfants », murmurait-elle en s'affairant à sa couture. Elle était âgée mais pas trop démodée, elle voulait tout comprendre.

— Maryse ! Qu'est-ce que tu as fait à tes cheveux? s'exclama Steve.

— Ben quoi ! Je les ai rasés, ça ne se voit pas? C'est la mode, pépère !

— Je trouve ça laid.

— Pis toi? Te penses-tu beau?

Maryse, une fois de plus en colère, feignait de partir. Maintes fois elle était partie dans cet état, non surprise de voir Steve arriver derrière elle en courant, n'ayant enfilé qu'une manche de sa veste de jeans. Si les circonstances faisaient que la colère noircissait le regard de Steve et le forçait à déguerpir, c'était Maryse qui le rattrapait n'ayant enfilé qu'une manche de la même veste de jeans car elle la lui empruntait souvent.

Un bon soir, plus de trois semaines après l'exposition, la chance est venue frapper à ma porte. C'est-à-dire Marc-Alain est venu frapper à la porte des Bartelet. Sylvie et moi venions tout juste de terminer de laver la vaisselle du mini-réveillon que nous venions de déguster. J'étais toute énervée, je paniquais, Sylvie aussi.

Je me souviens, je portais un vieux et très grand chandail en coton ouaté. Il me descendait jusqu'en bas des genoux. Avec un vieux jeans délavé, non pas par l'eau de javel mais bien par le temps, avec un ruban dans les cheveux, je n'avais vraiment pas l'air d'une fille de dix-sept ans. On m'en aurait donné douze.

Marc-Alain a grimpé l'escalier qui menait à la cuisine en trois enjambées.

— Salut Sylvie. Steve est où?

— Dans sa chambre, ça va toi?

Il a acquiescé, murmurant un « hum...hum » qu'il avait l'habitude de murmurer.

Malgré mon énervement, j'ai remarqué son air sérieux, presque triste. Quelque chose ne tournait pas rond dans sa petite vie. Il m'a dit « Ah! Salut! », la terre a chaviré. Il a déposé son imperméable sur la rampe de l'escalier, comme si de rien n'était, et a rejoint Steve qui chantait à tue-tête dans sa chambre.

— Sylvie, il faut que je fasse quelque chose.

— Ben oui!

— Mais quoi?

— Je ne le sais pas...Pourquoi tu ne lui demanderais pas de...

— De quoi?

— Laisse-moi faire.

— Fais pas de gaffes toi!

J'ai décidé de faire confiance à Sylvie car si Marc-Alain repartait pour trois semaines encore sans que je puisse lui parler, je mourrais.

— Qu'est-ce que tu dirais d'une petite promenade avec Ti-Jos dans sa belle petite camionnette bleue comme le ciel?

— Niaise pas, Sylvie!

Eh bien oui, Sylvie a demandé à Marc-Alain de venir me reconduire chez moi. Elle jubilait. Avec tout le tra-la-la qu'il fallait, elle a réussi à changer la petite pluie fine qui tombait depuis l'heure du souper en un terrible ouragan et Marc-Alain, sans hésiter a accepté de me dépanner.

En passant près de Sylvie après avoir été chercher ma guitare et mes livres au sous-sol, je lui ai demandé:

— Hey! Un vrai travail de pro! Qu'est-ce que je te devrai en retour?

— Bof...Appelle-moi seulement demain et...raconte-moi tout!

Je lui ai fait un clin d'œil en fermant automatiquement les deux yeux et j'ai trottiné en direction du patio où m'attendait Marc-Alain. Il a ouvert la porte. De mon côté, j'avais les bras complètement chargés et sa présence accentuait mon habituelle maladresse. J'ai fait mes saluts et mes remerciements à Sylvie avant de refermer la porte d'un bon coup de pied. Marc-Alain m'attendait déjà près de sa petite voiture.

— C'est plate comme température, hein?

Et puis vlan! La première phrase qu'il m'adressait personnellement! Rien de bien terrible mais au moins la glace était cassée. Sans perdre une seconde, il a ouvert la grande porte de son véhicule pour que j'y dépose mes multiples objets.

— Je comprends! Il mouille tout le temps, approuvai-je en grimpant à bord de la van pour ensuite me battre avec une ceinture de sécurité qui ne voulait pas s'étirer.

— Laisse faire, elle est brisée.

— Ah...

Il a allumé le moteur, ouvert la radio et secoué ses cheveux mouillés.

— Excuse-moi.

— C'est pas grave, ai-je répondu d'un air convaincu en essuyant du revers de la main, les gouttes d'eau sur mon nez, premier cadeau de Marc-Alain.

Je ne savais où regarder à part droit devant moi. Je ne savais pas quoi lui dire. J'avais peur qu'il se moque de moi. Je n'étais vraiment pas à l'aise mais comme depuis presque trois semaines je rêvais de cet instant, il ne fallait pas tout gâcher en restant muette.

— J'espère que ça ne te dérange pas trop de venir me reconduire. Tu pourras me faire descendre à l'entrée de la rue si tu aimes mieux.

— Ben non...Qu'est-ce que tu dis là ! Ça ne me dérange pas du tout. J'aime mieux aller te reconduire, c'est plus le fun de faire du chemin à deux que tout seul.

Ce que le temps passait vite.

— J'aime pas ça non plus savoir qu'une jeune fille soit seule dans la rue à une heure pareille...

Il se moquait. Il devait croire que j'avais demandé de me faire reconduire parce que j'avais peur de me promener seule dans la rue.

— Il ne faut pas s'arrêter à des affaires de même...Sinon il n'y aurait pas une fille qui oserait se pointer le nez dehors après souper.

— Peut-être que ça serait mieux de même.

Il tentait vraiment de me faire sortir de mes gonds ou il était tout simplement débile.

— Tu penses? Moi, je n'ai pas peur du tout de sortir le soir...Et encore moins dans le bout.

— En tous les cas, tant que tu voudras que j'aille te reconduire chez toi, je vais le faire...

Bouche bée. Lui il continuait son petit jeu.

— C'est vrai que tu n'es peut-être pas plus en sécurité avec moi que dans la rue...Hein?

— Hey ! T'es tout un macho, toi !

Un peu mal à l'aise, il a ri.

— Fâche-toi pas, c'est des farces.

— T'es un petit comique...

Il a dû trouver que j'avais un beau teint ce soir-là. J'essayais de cacher ma colère ou plutôt mon désenchantement, en me rentrant le plus possible dans le siège.

Finalement, j'ai vu le nom de ma rue apparaître à l'intersection des grandes fourches.

— C'est ici à droite.

Il est venu me reconduire jusque dans la cour. Aucune lumière n'éclairait la maison. Tout le monde devait dormir.

— Te voilà rendue.

— Merci beaucoup.

— Tu joues de la guitare depuis longtemps?

— Depuis environ quatre mois...Je jouais déjà à l'oreille avant de prendre des cours.

— C'est super ça...J'aimerais bien t'entendre un de ces jours.

— Ben oui...

— Samedi viens-tu au party chez Steve?

— Je pense que oui.

— Je pourrais venir te chercher...Vers les huit heures, tu pourrais amener ta guitare.

— C'est une idée.

— À samedi?

— Je ne le sais pas encore...Appelle-moi...

— O.K. Je t'appellerai.

Avec mon numéro de téléphone, il est reparti. Était-il certain que j'allais accepter? Et sa Marie dans tout ça? Elle ne devait plus faire partie de l'équipe. Il devait être venu en parler à Steve.

Je suis entrée dans la maison sans faire de bruit mais Jessica s'est réveillée lorsque j'ai échappé mes livres devant sa chambre en me rendant à la mienne. La voix toute endormie, elle m'a demandé :

— Anne-Sofie, tu ne dors pas chez Sylvie?

— Non, j'ai changé d'idée...

— Ah bon!...Bonne nuit.

Jessica seulement s'était inquiétée et m'a questionnée cette nuit-là. Mes parents n'ont même pas remarqué que j'étais de retour à la maison alors que je ne devais pas.

En fermant les yeux, j'ai vite oublié mes parents et toute la petite conversation que j'avais eue avec Marc-Alain m'a tourné dans la tête. Il ne devait pas être vraiment un mauvais blagueur. Je devais lui laisser une chance, ne plus rester fâchée, c'était idiot.

7

Je n'avais été chez Sylvie qu'à deux reprises la semaine suivante. J'allais à la polyvalente, les examens achevaient et les vacances arrivaient. J'avais raconté tout mon petit voyage de retour à Sylvie.

— Wow! Ma fille c'est presque du gâteau d'accrocher le beau Messier!

— Il n'y a rien de fait.

— T'as raison, il ne faut surtout pas mettre la charrue devant les bœufs ou quelque chose du genre.

Et elle a éclaté de rire, me rappelant les proverbes de ma grand-mère.

Quand Marc-Alain est passé me chercher le samedi suivant, je n'étais pas encore prête. J'ai vu la *mini-van* arriver en trombe dans la cour.

— Il est vraiment ponctuel, lui!

J'ai enfilé mon t-shirt rapidement remarquant ma presque nudité. Je sortais de la douche.

— Il va avoir les yeux tout croches s'il te voit comme ça Anne-Sofie.

C'était Jessica qui riait de mon embarras.

— J'ai hâte de rencontrer un gars moi aussi... Ça doit être super de s'embrasser, hein? Es-tu en amour?

— Arrête Jessica... Toi p'is tes questions...

— Je suis certaine que t'es en amour, parce que tu rougis!

— Jessy! Les nerfs O.K. Je suis pressée là...

Jessica riait. Un rire entrecoupé de soubresauts qui est si beau à entendre et qui nous donne le goût de rire. Un rire d'enfant. Un rire que je n'avais plus. Je n'étais plus une enfant.

Donc quand deux phares se sont pointés à l'entrée de la cour, je n'étais pas prête. Je ne savais pas si je devais sortir en enfilant ma veste de jeans ou encore l'attendre à l'intérieur. Je me disais: « Si je sors, il pensera peut-être que je l'attendais impatiemment comme une petite fille follement amoureuse, mais si je l'attends ici, je ne saurai pas quoi lui dire avec mes parents qui l'examineront! » Ainsi, avec toutes mes réflexions, il a eu le temps de venir frapper à la porte.

— Salut, ça ne sera pas bien long, je suis prête...

Comme la belle menteuse que j'étais, je suis allée chercher ma guitare mais je n'ai rien apporté pour coucher chez Sylvie. Ça le forcerait à venir me reconduire. Il fallait tout prévoir. Si lui et moi ça ne fonctionnait pas, je demanderais à Sylvie de me passer des vêtements pour que je passe la nuit chez elle.

Il m'attendait toujours dans l'entrée lorsque je suis revenue. Jessy me suivait et le petit bruit électrique auquel j'étais habituée a semblé surprendre Marc-Alain.

— C'est toi le nouvel ami de ma sœur? Jessica l'examinait soigneusement tout en faisant tinter ses doigts sur le petit boîtier de fer qui faisait avancer sa bicyclette-tout-confort, comme elle l'appelait.

— Oui, c'est moi je pense...

— C'est à toi le vieux camion bleu?

— Oui...

— T'es chanceux, c'est beau bleu...

Se retournant vers moi, elle a ajouté:

— Il a l'air correct.. Il est *cute* aussi... Un jour c'est moi qui irai faire un tour avec lui... Attention!

Elle lui a adressé son clin d'œil de grande séductrice qui m'a fait sourire. J'étais certaine qu'au fond elle était très gênée de ce qu'elle venait de dire. Sans rien ajouter, elle est repartie avec ce bruit électrique qui a résonné longtemps dans la pièce.

— Elle est drôle ta petite sœur... C'est de valeur pour ses jambes... Elle a un petit quelque chose d'attachant...

Marc-Alain, comme tout ceux qui la rencontraient, était tombé amoureux de Jessica.

Il a ajouté:

— Tout comme toi.

Pour la première fois, depuis des années, quelqu'un me comparait à ma sœur sans m'abaisser. J'étais surprise et dix fois plus heureuse parce que les paroles venaient de lui.

Dans le vieux camion bleu reposaient deux caisses de bière et la grosse boîte noire qui contenait ma guitare.

— Il va y avoir pas mal de monde chez Steve. Sylvie doit t'en avoir parlé. Il essayait de capter une bonne station de radio sur son appareil d'occasion.

— Oui, ça va être super.

Il s'est mis à fredonner d'un air songeur la chanson que jouait la radio.

— Tu vas me jouer quelque chose?

— J'ai amené ma guitare.

— Tu vas à la polyvalente avec Sylvie?

— Oui, toi, tu étudies où?

— À la polyvalente anglaise, la même que Steve.

— Ton prénom est français.

— C'est parce que ma mère est américaine, mon père est français.

— Tu dois bien parler l'anglais.

— Mon père a connu ma mère aux États-Unis, ça fait juste six ans qu'on habite ici. Mon père s'occupe d'une chaîne de restaurants, il a fallu qu'on déménage. Ma mère travaillait dans la mode, elle a continué arrivée ici.

— C'est le fun la mode... T'as des frères, des sœurs?

— Deux frères. Un plus vieux et un plus jeune que moi. Pas de fille. Je me demande bien comment une fille aurait pu survivre chez nous!

— Pourquoi?

— Si tu voyais mes frères, tu comprendrais! Des vrais cons! Des vrais cons! Moi, je ne suis pas mieux. Des fois, mes cousines viennent passer des vacances, ça n'a pas d'allure comme on les fait enrager! Eux autres, elles braillent mais elles veulent toujours revenir!

J'ai enfin risqué la question qui me rongeait les lèvres.

— Es-tu vraiment macho?

— Moi? Ben non...

Touché, je l'avais touché.

— Ils sont encore chez vous tes frères?

— T'en poses des questions toi! T'es certaine que la police ça ne t'intéresse pas?

Touchée, il m'avait touchée.

— C'est une farce. Ça ne me dérange pas que tu me poses des questions. Tu as l'air de trouver ça intéressant. Je continue, O.K.? Mon frère Rick a seize ans, il reste encore chez nous. Alex, lui, il a dix-neuf ans. Il étudie le théâtre à Montréal.

— J'aime ça, c'est le fun le théâtre.

— C’est vrai. Mon père est pas de cet avis, mais c’est vrai pareil.

— Pourquoi? Je m’excuse, tu n’es pas obligé de répondre.

— Je n’ai rien à cacher.

Malheureusement, il tournait déjà dans la cour des Bartelet. Dommage.

— Il va falloir qu’on parle de toi maintenant.

— Ouais, il va falloir se reprendre. Merci pour le *lift*.

— C’est rien.

Tout bas j’ai murmuré: « Je te jure qu’on va se reprendre, compte sur moi ».

8

Les lumières du salon, au sous-sol, étaient tamisées. Un gars que je connaissais de vue, s'occupait de changer les cassettes et les disques. Solange semblait en grande conversation avec lui. Tantôt du rock, tantôt tout le répertoire québécois, s'échappait des grandes colonnes de son, accrochées au mur. Je l'aimais bien ce salon. Un grand divan en coin se pavanait au milieu de la pièce, se foutant éperdument de ne pas s'appuyer contre un mur. Entre ses bras, un tas de coussins gigantesques. Dans l'autre partie du sous-sol, je savais, sans y être jamais allée, que les bricolages de M. Bartelet s'empilaient les uns sur les autres. Nous n'avions jamais accès à cette pièce. La porte était fermée à clé et souvent on entendait le père de mon amie siffler un air *country*, pour ensuite ressortir de son monde mystérieux avec une cabane à moineaux fraîchement peinte.

Tout en rêvant, je regardais Marc-Alain distribuer la bière qu'il avait achetée pour les autres et Maryse qui était encore aux prises avec l'argent à remettre. Je cherchais Sylvie des yeux. Introuvable.

Tout d'un coup, en me retournant, car je venais d'accrocher Maryse avec ma guitare, j'ai aperçu Sylvie. Vincent était avec elle dans un coin du salon. J'ai souri à l'idée qu'enfin ils étaient ensemble. Ce que Sylvie devait être contente. Il me faudrait lui parler durant la soirée. Pour l'instant, je n'avais pas envie de rompre le charme. J'ai préféré rester près de Maryse qui commençait à perdre sa minime maîtrise d'elle-même.

— C'est «tripant», hein? Veux-tu mon job?

J'ai souri.

— Tu aimerais sûrement mieux une bière.

— Non merci, pas pour tout de suite... Peut-être tantôt.

— Tu vas nous faire un *show*? C'est pas pire la guitare. Ça fait longtemps que tu joues?

— Pas tellement, mais je pratique beaucoup. J'aime ça.

Et puis s'adressant à Marc-Alain, elle dit:

— La belle Anne-Sofie va pouvoir te jouer des petits morceaux romantiques avec ça!

À mon avis, elle aurait pu se taire. Marc-Alain, de son côté, n'a pas semblé surpris. Il avait plutôt l'air de trouver ça drôle.

— J'espère bien, elle me l'a promis.

— Moi? J'ai promis?

Maryse riait. Elle m'aimait bien, je crois. Puis Marc-Alain a empoigné la valise noire qui contenait ma guitare, comme s'il l'invitait à danser un tango et il m'a dit:

— J'aimerais ça t'entendre jouer. Veux-tu?

— Il paraît que j'ai promis.

— Voyons, c'était une farce... Viens-tu? Regarde, il n'y a personne dans ce coin-là.

— O.K. Mais...

— Mais quoi?

— Je ne joue pas très, très bien...

— C'est moi qui critique O.K.?

— Tant pis pour toi. Je t'aurai prévenu. Quand je commence, je n'arrête plus.

Nous nous sommes assis l'un en face de l'autre. Je n'osais pas le regarder dans les yeux. J'allais jouer de mon mieux.

Un petit air populaire, mon préféré à la guitare, s'est mis à glisser sous mes doigts. C'était doux. Marc-Alain m'écoutait en cherchant les paroles de cette chanson qu'il connaissait. Je regardais mes doigts danser en levant rapidement les yeux pour regarder pendant quelques secondes mon unique spectateur.

— C'est *Babe* ça! Je connais les paroles, c'est bon. «*Babe I love you... Hou, hou... Babe*»

Sur le coup, mon cœur a sauté. Ce n'étaient que les paroles d'une chanson, mais bon Dieu qu'elles résonnaient longtemps dans ma tête. Pourquoi avais-je joué ça?

— Veux-tu en jouer une autre? Moi, je trouve que tu as beaucoup de talent...

J'ai fermé les yeux pour trouver un autre air. J'étais partie pour la gloire. Je jouais lentement mais sûrement. Quand j'ai ouvert les yeux, j'ai vu qu'on m'écoutait. Comme dans mes rêves, j'avais un vrai public qui m'écoutait. C'est alors que Maryse s'est mise à chanter sur l'air que je jouais. Tous les autres l'ont suivie. C'était une chanson québécoise d'un de mes préférés: Paul Piché. Lorsque j'eus terminé, on m'a félicitée et tout le monde est retourné à son affaire. De nouveau le système de son s'est mis à jouer très fort. Sylvie m'a lancé un clin d'œil et est repartie main dans la main avec Vincent. C'était beau.

— Super, Anne-Sofie.

— Merci... Il me faudra encore de la pratique.

— Lâche pas!

Il s'est penché vers moi. Il jouait avec la mèche de cheveux que je portais longue sur le côté gauche du cou. J'essayais de me débarrasser de ma guitare pour le sentir plus près. J'écoutais sa respiration, puis la mienne. La musique semblait tellement loin. Je fixais ses lèvres et son menton mais pas ses yeux. Je sentais son regard sur ma bouche, ça brûlait.

Je me suis penchée à mon tour. Maladroitement nous nous sommes embrassés. Pas trop longtemps. Nous nous sommes regardés pendant quelques secondes, silencieux. Il m'a embrassée de nouveau, encore plus maladroitement, après m'avoir frappé les dents avec les siennes. J'ai souri, pour ne pas rire, et lui aussi.

Je ne sais pas pourquoi, tout à coup, j'ai pensé à Mario. Un flash. Lui, que j'avais complètement oublié depuis la semaine avant son départ pour la France. Ce vendredi, nous étions allés au cinéma avec Jodin et Sylvie.

Ce soir-là, pendant que Jodin se gavait de *pop corn* et que Sylvie se désaltérait de *Seven up*, ne quittant pas des yeux le bel acteur qui utilisait mille et une tactiques de karaté pour sauver son honneur et sa petite amie, Mario avait pris ma main.

— C'est bon le film, hein? m'avait-il demandé.

— Oui. Mais il y a des bouts un peu kétaines, tu ne trouves pas?

— C'est vrai.

— Chut! a laissé échappé la voisine à la gauche de Mario.

— Elle capote, elle! a constaté Mario.

— Elle aura juste à revenir demain soir, c'est deux et cinquante pour l'âge d'or.

La voisine d'une quarantaine d'année s'est penchée vers l'avant pour mieux me lancer un regard de glace qui en disait long. Mario a ri. Trop fort.

Il m'a embrassée sur la bouche. Il a appuyé sa tête sur mon épaule jusqu'au générique. J'étais certaine qu'il allait me manquer tout l'été.

9

Vers minuit, je me suis rendue à la salle de bains et j'y ai rencontré Sylvie.

— Ça y est! m'a-t-elle dit en me prenant pas les épaules. Je sors avec. Il est super correct! a-t-elle ajouté en se laissant glisser sur le mur jusqu'à en être assise par terre.

— Super! Je pense aussi que Marc-Alain et moi on sort ensemble...

— Merveilleux!

— Ca-po-tant ma Sylvie! lui ai-je répondu en feignant de griffer la porte de la salle de bains. L'envie pressait.

— Hey! Qu'est-ce qui se passe là-dedans?

— Il y en a qui fume je crois... a répondu Sylvie en essayant de dévisser le bouchon d'une bière.

— Allez fumer dehors! ai-je hurlé au même moment où Maryse et Marie ressortaient de la salle de bains. Maryse m'a annoncé:

— Avec ça ma fille, tu vois les chansons et tu entends les couleurs!

Marie-la-Pieuvre-en-congé ne riait pas. Je crois qu'elle venait de voir qu'il y avait «de l'amour dans l'air».

Marc-Alain m'avait attendue en tentant de jouer quelques accords de guitare.

— Veux-tu une autre bière?

— Non... Merci pareil. J'ai pas l'habitude d'en boire autant.

— Ça tourne?

— Trop...

Et j'ai éclaté de rire. C'est là qu'il a compris que je ne mentais pas.

— Arrête-moi ça là!

Ce que je pouvais rire! Il ne pouvait s'en empêcher lui non plus. Il m'a prise dans ses bras et m'a serrée très fort. Tout pour dégriser d'un coup. Il m'a embrassée.

— Je te trouve belle.

— Niaise pas...

— Pourquoi je niaiserais?

— Toi aussi, t'es beau d'abord.

— Sérieux?

— Très.

— C'est la première fois qu'on me le dit.

— À moi aussi.

Vers trois heures du matin, j'ai ramassé ma guitare et ma veste. En sortant de la maison, Marc-Alain a pris ma main.

— Tu as l'air d'être pressée de rentrer toi!

— Je n'ai pas bu la caisse, moi!

— Là, il faut que j'aille te reconduire?

— Certainement mon cher. Quand j'aurai mon permis, je te remettrai ça.

Après cette soirée, le plus important pour moi était la place que j'avais prise dans sa vie. Pour une fois, j'étais importante, presque irremplaçable.

10

Pendant les trois semaines suivantes : le bonheur parfait. Je lui ai téléphoné le lendemain de notre soirée du samedi. Tous les deux, nous avons terminé notre année scolaire à la fin de juin. Il avait un emploi d'été, mais les soirs, nous occupions le téléphone pendant des heures, nous racontant notre journée des étoiles plein les yeux.

Quand les jeudis et vendredis soirs arrivaient, il venait me chercher à bord de la terrible camionnette bleue et nous allions nous promener et rencontrer nos copains dans un petit café de la ville ou au parc.

J'aimais beaucoup discuter avec Marc-Alain. Il savait écouter. J'avais de l'importance à ses yeux. Je n'avais jamais peur de lui donner mon opinion, ce qui ne m'arrivait que très rarement à la maison.

Souvent, je pratiquais mes leçons de guitare avec lui. Il m'accompagnait en chantant notre air préféré *Babe*, parce que c'était celui que je lui avais joué, c'était le seul que je connaissais assez bien pour le jouer devant quelqu'un, la première fois. Romantique, non ? Car j'étais d'un romantisme fou ! Peut-être pas au point d'attendre des fleurs de sa part, mais j'adorais aller marcher avec lui, main dans la main ou encore danser collée contre lui dans un coin sombre sur une musique douce. Et puis pourquoi pas les fleurs, à bien y penser ?

11

C'est vers les onze heures que j'ai réveillé Sylvie par mon appel téléphonique qu'elle a qualifié de très matinal, un certain mardi.

Nous avions des tas de choses à nous raconter. Je suis donc allée passer l'après-midi chez elle. Enduites d'une riche crème-solaire, étendues sur nos serviettes *Mickey Mouse* offertes par ses parents l'hiver précédent, nous nous sommes laissées aller aux confidences.

— J'ai été dîner chez lui, dimanche passé. J'ai rencontré ses frères, ses parents, crime que c'était gênant... Plein de monde! ai-je commencé.

— Moi aussi, je vais souvent chez Vincent. C'est bizarre. Son père vit avec sa nouvelle compagne. Il a ses trois enfants à lui, plus Vincent, sa fille à elle et puis il y en a un autre qui s'en vient pour septembre!

— Un bébé?

— Ben oui...

— Et puis! Comment il est le beau Vincent?

— Il est très, très... Comment je pourrais dire... très amoureux.

— Qu'est-ce que tu veux dire?

— Ben... C'est presque fait.

— Quoi?

— Ben... Tout!

— Super !

— Toi, avec Marc-Alain ?

— J'ai juste hâte à la fin de semaine prochaine. On va peut-être réussir à être tout seuls, pour une fois.

— Ils niaisent pas longtemps les gars de dix-sept ans, hein ?

— Pas trop non... Ça te fait peur faire tout ça ?

— Je pense que oui, m'a répondu pensivement Sylvie.

Comme deux vraies amies nous avons passé l'après-midi. Joyeuses, riant aux moindres blagues de l'une comme de l'autre. Sérieuses, écoutant attentivement l'amour de l'une comme de l'autre.

Nous nous sommes rappelé les annecdotes de l'année scolaire qui venait de s'achever. Elle avait des nouvelles de nos copains Jodin et Mario, tout comme moi.

Mario m'avait écrit une lettre. Cinq lignes, tout au plus, rien de bien spécial. Jodin de son côté, comprenait *Rambo* en anglais, car il avait apporté dans ses bagages sa passion pour le cinéma et il lui avait redonné sa liberté dès son arrivée en Alberta.

12

Mes parents aimaient bien Marc-Alain. Rien de bien exagéré bien sûr, mais je peux dire qu'ils l'acceptaient bien.

Il venait souvent me chercher à la maison. Mes parents le saluaient poliment. Jessica, de son côté, l'adorait tout simplement. À plusieurs reprises nous l'avons amenée avec nous, se promener. Toute contente à l'idée d'être assise entre nous sur le dossier du siège que Marc-Alain repliait pour qu'elle voit mieux, elle disait:

— Wow! C'est le fun! C'est bien plus haut que dans l'auto de papa, hein Anne-Sofie?

Mais j'avais tellement peur que Marc-Alain se lasse de sa présence. Jessica était souvent sous ma garde. Je pensais même que mes parents voyaient en elle un chaperon potentiel.

— Tu dois être tanné!

— Non voyons! Je comprends qu'il faut que tu t'occupes de ta sœur surtout si tu ne veux pas qu'on ait des ennuis avec tes parents. C'est certain qu'on a moins de temps à passer tout seuls... Ça fait qu'il ne faudrait pas passer toute la soirée à se plaindre qu'on n'a pas assez de temps pour se voir...

Il m'a serrée dans ses bras et m'a embrassée. Je suis sortie de la lune. Nous étions chez lui, dans sa chambre, seuls. C'était doux. Une jolie musique emplissait la pièce colorée et décorée des posters de nos vedettes de rock préférées.

Ce soir-là, nous nous sommes endormis l'un près de l'autre pour la première fois. Ses parents étaient sortis pour toute la fin de semaine en nous disant sur le seuil de la porte:

— Vous direz bonne nuit à Rick de notre part... On vous fait confiance là! On a déjà eu votre âge...

Je savais qu'ils avaient recommandé à Marc-Alain de venir me reconduire chez moi pour la nuit. Ils ne voulaient surtout pas que mes parents croient qu'ils n'avaient aucune moralité.

J'étais assise sur son lit, gênée. Il s'était assis en face de moi et fixait le plancher, mes pieds puis mes jambes, puis mes cuisses. Je portais une longue chemise, ma robe d'été préférée. Je le regardais me regarder, mes lèvres étaient sèches.

Il a relevé la tête, je cherchais son regard. Je me suis avancée, je lui ai caressé les bras du bout des doigts puis je lui ai enlevé son t-shirt. Il était timide, sans doute plus que moi. Je l'ai regardé, comme ça, torse nu, pendant quelques minutes. J'ai dessiné son nom sur sa poitrine, il ne disait rien. Puis, il m'a serrée très fort dans ses bras. Nous nous sommes embrassés longuement.

— Marc-Alain... C'est important pour toi?

— Oui... Je pense que je t'aime.

— Moi aussi.

C'était tellement bien que je croyais que le chant des petits oiseaux nous réveillerait le lendemain matin. Mais quand j'ai ouvert les yeux, il pleuvait mais il y avait Marc-Alain qui jouait avec des mèches de mes cheveux, m'embrassant les oreilles et le cou. C'était mieux que les petits oiseaux. Il m'a soufflé dans l'oreille:

— Bonne nuit?

Pour toute réponse, je l'ai enlacé et il s'est allongé sur moi, appuyant sa tête dans mon cou. Je n'étais pas prête à refaire l'amour. Marc-Alain comprenait, il savait qu'il était le premier.

— Je t'aime.

Nous sommes demeurés là, nous lançant des oreillers, nous embrassant, nous chamaillant, nous caressant jusqu'au midi.

Nous avons dîné en amoureux. Je portais son vieux pyjama à l'effigie des Canadiens et lui, il portait un pyjama, un peu moins vieux, à l'effigie des Nordiques.

Nous devions nous rendre pour souper chez moi car mon père avait quelque chose d'important à nous annoncer. Sûrement un projet pour les vacances.

Comme deux amants nous avions passé la nuit, comme deux amis nous allions passer la journée. C'était ça le secret de l'amour, j'en étais certaine.

Pourtant je me sentais toute drôle. J'entendais ma mère, entre les draps, qui me disait pour la millième fois « C'est pour la nuit de tes noces ces affaires-là. Si tu joues avec le feu, tu te brûleras, tu payeras pour ! » Mais d'un autre côté, j'étais tellement heureuse d'être avec le garçon que j'aimais. Pour moi, il n'y avait pas d'âge pour « ça ».

Malgré tout, quelque chose de très important me tourmentait. Nous n'avions pris aucun contraceptif. J'avais attendu cette fin de semaine avec impatience sans penser aux contraceptifs dont on nous rebattait les oreilles à la clinique médicale de la polyvalente.

— Qu'est-ce qu'il y a? Tu es trop sérieuse tout d'un coup.

Marc-Alain avait enfilé ses jeans, son chandail et s'était étendu sur le lit encore défait. Je ne pouvais me décider à m'habiller.

— C'est rien.

— J'en suis pas sûr. Voyons, parle...

Il s'est approché lentement me prenant par les épaules. J'étais incapable de parler. J'avais peur qu'il se fâche, que tout me retombe sur le dos.

— J'ai dit quelque chose qui t'as fait mal?

Toujours rien.

— Anne-Sofie? Qu'est-ce qu'il y a?

— Tu vas trouver ça con. Ça m'écœure! Tu aurais dû sortir avec une fille de dix-sept ans pas avec une petite conne de quinze!

— Dis pas ça.

Ça y était, je paniquais. Il y avait les larmes qui commençaient à s'accumuler, en plus de ma peur et de mes remords. Ces maudits remords, j'en aurais bien toute ma vie, aux moindres gestes que je poserais.

— Qu'est-ce que j'ai fait Anne-Sofie?

— Non, ce n'est pas toi. Et puis oui, c'est toi! C'est con, con, con. Je ne prends pas la pilule, pas rien. Et puis j'ai peur, peux-tu comprendre ça aussi?

Il s'était retourné face à la fenêtre, me tournant le dos.

— Est-ce qu'il y avait du... du danger?

— Du danger? Je devrais le savoir plus que toi! Oui, il y en avait du danger comme tu dis!

— J'aurais dû te demander si tu la prenais...

— Toi? Toi, tu n'en avais pas des contraceptifs? C'est pas juste de ma faute, O.K.?

Je paniquais. Je me regardais dans le miroir me tapant le ventre et me disant: «Maudit, il ne faudrait surtout pas que je sois enceinte».

Je me suis approchée de Marc-Alain, me suis placée à côté de lui. Il fixait le vide, dehors. Je regrettais d'avoir crié. Je savais que Marc-Alain ne pouvait supporter la colère.

— Je m'excuse d'avoir crié.

Il ne bougeait pas. Après quelques minutes qui m'ont paru des heures, il a dit :

— C'est pas grave, c'est la panique. Je ne voulais pas te mettre tout le blâme sur le dos. Tu le sais, je n'aurais jamais fait ça.

— Je vais aller à la pharmacie. Je vais aller me chercher la pilule du lendemain. Il paraît que c'est merveilleux... C'est comme si de rien n'était quand on prend ça...

Nous avons ri, un peu par nervosité, mais la tension baissait, c'était ce qui comptait. J'avais en tête que j'irais chez le médecin pour me procurer une ordonnance de pilules anticonceptionnelles le plus tôt possible.

— Il va falloir que tu ailles acheter des condoms, Messier !

— Quoi ?

— Des condoms ! Fais ta part.

Après avoir nettoyé la cuisine et avoir fait le lit, nous sommes partis vers ma maison, où le poulet devait nous attendre.

En chemin, nous avons rencontré Rick, le frère de Marc-Alain. Il rentrait d'un long party.

— Salut les amis.

— Salut mon Rick, et puis, combien de cœurs éplorés ? lui a demandé Marc-Alain.

— À dix heures, j'ai arrêté de compter ...Ça va Sofie ?

Depuis que je sortais avec Marc-Alain, Rick m'avait prise en affection. Il me taquinait et souvent, il me téléphonait. Il avait sa réputation de *play boy* établie au sein des filles du secondaire. Aucune ne pouvait se vanter d'être sortie avec lui plus d'une semaine. Il était très près de Marc-Alain. Ils se ressemblaient beaucoup aussi. Rick était juste un peu plus grand et ses yeux étaient bruns.

— Ça va très bien. Toi?

— J'ai fêté pas mal. J'ai dormi toute la nuit dans le parc avec Dan, un de mes chums.

— Bon, je vais vous laisser, la douche m'attend. Je suis mort raide.

Nous avons fait le chemin qui menait chez moi, tantôt en courant, tantôt en arrêtant pour nous embrasser. La vie était belle.

13

Lorsque nous sommes arrivés à la maison, ma mère préparait le repas, mon père travaillait dans son bureau et Jessica regardait le film d'après-midi.

Je suis allée retrouver ma mère à la cuisine. Jessica avait intercepté Marc-Alain, le priant de jouer avec elle sur son nouvel ordinateur.

— Besoin d'aide maman?

— Non...Où as-tu passé la nuit?

Sa question m'avait saisie. Jamais auparavant elle ne s'était inquiétée de mon absence au coucher.

— Chez Sylvie.

— Chez Sylvie?

— Oui, pourquoi?

— Tout simplement parce qu'elle a téléphoné ce matin pour te parler.

Oups... J'ai rougi, croisant les doigts pour qu'une force quelconque m'aide à trouver les bons mots, un mensonge crédible.

— Je suis aller rejoindre Marc-Alain de bonne heure. Il m'attendait chez lui.

— Ses parents étaient là?

— Oui.

— Anne-Sofie?

— Oui.

— Si tu joues avec le feu et que tu te brûles, tu payeras pour... Tu comprends ce que je veux dire?

— Oui.

— Va chercher une nappe dans le buffet de la salle à manger et mets la table.

Tout un accueil. Ses yeux semblaient me dire: « Je sais tout ma petite fille! Tu ne peux rien me cacher ». J'aurais voulu tout casser. De quoi se mêlait-elle?

Je n'ai pas dit un mot jusqu'au souper. Quand tout a été prêt, mon père est arrivé suivi de Jessica et de Marc-Alain. Ça sentait bon dans la cuisine, trop bon. Queque chose me disait que ça tournerait mal.

— C'est très bon Claire.

C'était mon père. Selon lui, tout ce que cuisinait ma mère était toujours bon. Il semblait encore plus apprécier les repas où il n'avait pas eu à prêter main-forte à ma mère. Ce qui était rare depuis quelques années, c'est-à-dire depuis que ma mère avait renoué avec le marché du travail. Elle était caissière dans un magasin à rayons trois jours par semaine.

Tout le monde s'est servi. J'étais assise à côté de Marc-Alain, en face de mes parents. Jessica occupait le bout de la table. Il y avait longtemps que nous n'avions pas soupé en famille.

— J'ai une grande nouvelle à vous apprendre.

Bon, mon père avait parlé. Qu'allait-il nous annoncer? Ma mère semblait toute aussi anxieuse que nous de connaître la nouvelle.

— Raconte-nous ça.

J'avais pris l'air moqueur empreint d'ironie que j'avais l'habitude de prendre avec mon père. Il s'est donc retourné vers ma mère, jetant souvent des regards à ma sœur tout en évitant le mien.

— Chérie, j'ai reçu une lettre assurant l'acceptation de Jessica à Toronto.
— Merveilleux ! Un vrai don du ciel.

— Tu sais à la clinique où l'on t'avait inscrite ? Là, ils vont s'occuper de tes jambes.

— Mais je ne veux pas y aller papa. C'est trop loin Toronto. Pourquoi pas à Montréal ? Je ne parle même pas l'anglais, je vais m'ennuyer...

— Voyons ma puce, on y va tous avec toi ! C'est parce que papa est transféré à Toronto. T'es contente là ? Mon père jubilait.

— Quoi ? Qu'est-ce que tu dis ?

Je venais tout juste d'avaler un morceau de poulet en même temps que « sa » nouvelle et les deux ne voulaient pas passer.

— On déménage, tu veux un dessin ?

J'avalais.

— Mais je ne veux pas déménager ! Qu'est-ce que tu fais de mes amis, de mes études ?

— Écoute, à ton âge, des amis ça se fait facilement. Puis la langue anglaise, ça s'apprend tout aussi rapidement. N'est-ce pas Marc-Alain ?

— Oui, c'est vrai M. Richard.

Marc-Alain n'avait vraiment pas le goût d'être mêlé à cette jolie petite discussion familiale. Je paniquais.

— Tu ne m'auras pas, je vais rester ici. Vous avez compris, je vais rester ici.

J'ai laissé tomber ma fourchette et je suis partie en flèche vers la porte du patio. Marc-Alain m'a suivie, s'excusant auprès de ma famille.

— Qu'est-ce qu'elle a? Mon père semblait étonné de ma réaction. Ma mère moins.

— C'est la surprise, c'est tout.

Je ne voulais plus les entendre, plus les revoir. Une fois de plus on m'oubliait, on oubliait mon avis. J'en avais plein le dos mais je n'en voulais pas à Jessica.

J'avais vu la peur s'inscrire sur son visage juste avant que je sorte de table. Je savais qu'elle n'y était pour rien.

Je courais dans la cour arrière et je me suis arrêtée à l'entrée du petit bois où j'aimais aller me promener avec Marc-Alain. J'aurais voulu crier, Marc-Alain est arrivé quelques secondes plus tard, essoufflé. Il m'a prise dans ses bras et j'ai pleuré. Il me carressait doucement les cheveux.

— Calme-toi...

Il s'est reculé pour essuyer mes yeux avec la manche de son gilet noir qui portait le chiffre quarante-quatre en blanc sur le devant.

— Ils m'écœurent.

— Je le sais

— Ils ne pensent pas à moi dans tout ça. On déménage, youpi! « Viens-t-en Anne-Sofie, on part demain, ce soir si possible! »
Ma voix était entrecoupée de soubresauts tout comme quand j'étais petite et que je pleurais à cause de Jessy.

— Moi, je pense à toi...

Nous nous sommes serrés fort, très fort. Il ne fallait pas passer les derniers jours où nous allions être ensemble, à s'apitoyer sur notre sort. Nous avons marché pendant des heures dehors. Marc-Alain est venu me reconduire jusqu'à ma chambre, ce que mon père a qualifié de « sans gêne en maudit ! »

J'ai regardé Marc-Alain partir, de ma fenêtre je l'ai suivi longtemps.

Jessica est venue me voir, me dire qu'elle m'aimait et qu'elle regrettait d'être obligée d'aller à Toronto, plus parce que ça me faisait pleurer que parce qu'elle quittait ses amis. Elle m'a dit que nous partions trois semaines plus tard, que la maison serait vendue, mais que, pour l'instant, papa attendait une bonne offre.

— C'est pas grave Jessy. Ne t'en fais pas pour moi. Papa a l'air content de son nouvel emploi et en plus, il a trouvé quelqu'un pour s'occuper de tes jambes... Va te coucher...

La vie était mal foutue. J'aurais voulu avoir dix-huit ans pour pouvoir en faire à ma tête et ne pas être obligée de les suivre. Mais il n'y avait rien à faire. J'avais quinze ans. Quinze ans.

14

Le lendemain je suis allée apprendre la nouvelle à Sylvie. Elle n'en croyait pas ses oreilles.

— T'es pas sérieuse? C'est une farce?

Elle avec qui j'avais partagé ma vie depuis que nous étions encore aux couches. Mon amie, ma meilleure amie. Je pourrais la revoir quelques fois par année quand mes parents voudraient bien me payer le voyage.

J'avais le cœur serré, comme jamais je ne l'avais eu. Sylvie, ma grande sensible, avait eu les larmes aux yeux toute la journée.

Nous sommes allées dîner au restaurant nous remémorant nos jeux d'enfants. J'ai glissé une pièce de vingt cinq cents dans le juke-box et j'ai dédié une chanson qui datait de près de deux ans à Sylvie. À mon tour, Sylvie à fait jouer une chanson, un tas de souvenirs nous revenaient. Ce que nous nous sentions prêtes à tout faire pour ne pas être séparées!

— Je ne peux pas croire qu'il va falloir qu'on corresponde pour se donner de nos nouvelles maintenant... Il va falloir s'écrire à toutes les semaines Anne-Sofie.

— C'est certain. Je pense que je ne vais vivre que pour recevoir de vos lettres... Les tiennes, celle de Marc-Alain...

— C'est plate pour Marc-Alain et toi...

Je n'ai rien ajouté. Elle savait mieux que quiconque que je trouvais cette séparation plus que «plate».

— Une chance qu'il y a le téléphone... Et puis tu vas pouvoir venir nous voir de temps en temps.

— Pas souvent, je le sais.

— C'est dégueulasse ce que tes parents font là!

Pourtant il ne fallait pas se laisser aller à trop de mélancolie. Nous avions beaucoup de chose à faire avant mon départ. Entre autre, il fallait organiser une partie.

C'était fou comme le temps passait vite. Surtout lorsqu'il s'agissait de mes tête-à-têtes avec Marc-Alain. Je m'étais procurée la pilule miracle du lendemain et comme par magie, mes craintes d'être enceinte s'étaient envolées dès l'arrivée de mes irrégulières menstruations.

Marc-Alain avait pris ses précautions en « piquant » une boîte de condoms à la pharmacie. J'avais ri comme une folle de son mini-vol. Rire un peu nostalgique pour mon ancien passe-temps favori. Marc-Alain avait l'air tellement mal à l'aise. Heureusement personne ne l'avait vu. Moi, si j'avais été une vendeuse, je l'aurais sûrement remarqué.

Nous avons profité de nos moindres moments d'intimité pour nous aimer. C'était doux, c'était vrai. Le vrai amour y avait sa place. La vraie attirance, le vrai désir, le vrai plaisir aussi. Nous avons passé des heures à parler dans le noir de sa chambre tout nus, toute timidité effacée. Ses parents ne disaient rien. Mes parents ne savaient rien, mais se doutaient de tout.

Je voyais se sauver les moments les plus intenses de ma vie, m'accrochant à chaque seconde comme je m'accrochais désespérément aux hanches de ma passion.

Lui, mon premier amour, mon premier amant, celui qui comprenait mes peines, qui cultivait mes sourires et mes colères, celui qui occupait tant de place.

15

Le grand jour qui devait arriver s'est finalement pointé. Mes effets personnels s'entassaient déjà dans notre nouvel appartement que je n'avais pas encore vu. Je n'avais pas dormi de la nuit, téléphonant à Marc-Alain à des heures impossibles. Il était venu me voir dans la soirée, après son travail. Je ne voulais pas partir. Ce que je regrettais de ne pas avoir pu aller coucher chez lui ! Il avait fallu que je reste à la maison car mes parents étaient sortis pour la soirée et Jessy ne pouvait demeurer seule.

À la lumière de la lune, je réveillais Marc-Alain pour la centième fois.

— Anne-Sofie ?

— Marc-Alain... Je m'excuse... Je t'aime fort...

Je pleurais, le récepteur collé contre ma joue. Je savais qu'il pleurait aussi, je l'entendais renifler.

Avec mes parents rien n'allait plus. Marc-Alain le savait. Je leur avais déclaré la guerre le soir où mon père nous avait annoncé « sa nouvelle ». Personne ne pouvait me faire changer d'avis, pas même Marc-Alain, pas même Sylvie. Mes parents ne m'aimaient pas, se foutaient de mes sentiments et m'écrasaient.

— Marc-Alain ? Vas-tu m'attendre ? Je veux dire, m'aimes-tu assez pour attendre mes lettres, mes téléphones, mes visites, sans sortir avec quelqu'un d'autre ?

— Ben oui! Je te le promets. Toi aussi promets-le-moi. Ça me fait peur...

— Promis.

— Juré?

— Juré, craché.

J'ai raccroché, je me sentais seule. Seule comme jamais je ne l'avais été. Malgré la visite de Sylvie qui était venue m'aider à emballer mes dernières petites choses, malgré les baisers de Marc-Alain, je me sentais terriblement seule. J'aurais aimé voir ma mère arriver dans ma chambre pour me dire: «On ne part plus», ou tout simplement pour me prendre dans ses bras en me disant que tout irait pour le mieux. Mais peine perdue, mes parents, têtus qu'ils étaient, dormaient profondément à cette heure-là. Ils avaient passé une belle soirée en compagnie de leurs plus proches amis au plus chic restaurant de la ville et désormais ils rêvaient de leur nouvelle vie à des milliers de kilomètres de ma chambre.

Le matin du départ, j'étais d'une humeur macabre. J'ai fait le tour de ma chambre pour la dernière fois, touchant tout, les murs, les tapis, le rebord de ma fenêtre d'où je guettais, le soir, Marc-Alain s'en aller. J'ai pris ma guitare et mes derniers bagages pour descendre lentement en laissant glisser mon sac sur la rampe de l'escalier. Il était dix heures moins le quart, mon père voulait partir et Marc-Alain n'arrivait pas. Il avait promis de venir me voir avant mon départ, j'avais promis de l'attendre.

J'étais à bout, mais pas plus que mon père, quand j'ai vu la *mini-van* entrer et aller stationner près du garage.

Tous mes amis sont descendus d'un coup de la camionnette. Je me suis mise à pleurer comme une enfant. Sylvie, Vincent, Maryse, Rick et Steve venaient me saluer avec Marc-Alain. Tour à tour je les ai embrassés, en gardant Sylvie et Marc-Alain pour le dessert.

Mes parents nous regardaient du coin de l'œil, prêts à partir, installés dans l'auto avec Jessy.

Je tenais nerveusement le bras de Marc-Alain. Les autres nous ont laissés seuls. Mon père a klaxonné. J'ai vu ma mère lui donner un coup sur le bras. Nous avions encore quelques secondes, mais il ne fallait pas que le train parte sans nous.

— Tu vas m'écrire, hein?

— Oui et toi aussitôt que tu es arrivée à Toronto, O.K.?

Il me semble que j'avais encore plein de choses à lui dire. Je pleurais, lui aussi. Je l'ai serré très fort. Sylvie pleurait aussi et Vincent ne savait pas quoi lui dire pour la consoler. Il regardait Steve tristement, hochant la tête, dépassé par la peine de Sylvie.

— Tu vas me manquer Anne-Sofie.

Je l'ai embrassée pour la dernière fois. Nous avions le visage tout mouillé. Il m'a donné un petite tape sur les fesses pour m'aider à partir, je la lui ai rendue en souriant tristement. Je me suis dirigée vers l'auto, sans me retourner. Je déteste les départs. Je l'ai entendu me dire:

— Je t'aime, tu sais.

Et sa voix s'est brisée ou bien mes oreilles ont lâché.

Dans l'auto, j'ai reposé ma tête sur le dossier laissant couler en silence, les larmes sur mes joues. En tournant le coin de la rue, j'ai vu ma maison, mes amis, mon amour, devenir de plus en plus petits au loin.

Tout à coup, une petite main a pris la mienne. Une petite main froide qui voulait me réconforter, c'était celle de Jessy. Elle a couché sa tête sur mes genoux; en lui caressant les cheveux, j'ai fait le chemin qui menait à la gare, le cœur moins lourd.

16

Je n'avais pas la parole facile, ce qui a duré tout le voyage. J'ai pris mon billet machinalement, un robot aurait eu l'air plus naturel. Avec ma sœur et ma mère, j'ai pris le train, mon père faisait le voyage en auto, car il voulait l'amener lui-même à destination.

Je n'avais pas le goût de manger, j'avais l'esprit ailleurs. Je me demandais ce que mes amis étaient en train de faire, ce qu'ils feraient le lendemain, le surlendemain, et moi qu'est-ce que je ferais?

Les quelques heures du trajet, je les ai faites avec mon *walkman* sur les oreilles en écoutant un nombre incalculable de fois la chanson *Babe* qui me rappelait mes instants de douceur avec Marc-Alain. J'étais triste comme jamais je ne l'avais été.

En arrivant à Toronto, nous avons pris un taxi qui nous a menées au building où désormais j'habiterais. Mon père n'avait pas l'intention d'acheter une maison avant au moins un an.

Nous avons pris l'ascenseur pour monter à notre appartement, au huitième étage. C'était chic. Je poussais le fauteuil de Jessica. Sur le seuil, ma mère superstitieuse a dit, toute souriante:

— Faites un voeu, c'est la première fois que vous entrez.

J'aurais souhaité ne pas être ici. L'appartement était tout de même joli: de beaux tapis, une grande porte vitrée et des lampes très modernes. J'ai fait un tour dans la pièce que ma mère m'avait désignée comme nouvelle chambre. Elle était plus petite que mon ancienne chambre. Il n'y avait rien sur les murs et mes bagages étaient tout éparpillés sur la moquette grise.

— Tu pourras la décorer comme tu le voudras tu sais, m'a dit ma mère d'un ton doux.

— Ben oui... ai-je répliqué sans grand enthousiasme.

J'étais *super down* comme l'aurait dit Sylvie. Sylvie... J'ai fait du rangement dans mes affaires, cloué au mur le babillard où j'accrochais depuis des années les photos que j'affectionnais. J'avais envie d'aller acheter des affiches pour donner plus de vie à mon nouveau refuge. Un du groupe Genesis comme celui de Marc-Alain.

Mon père est arrivé plus tard que nous. Nous avions presque tout rangé, ma mère et moi. Je suis donc retournée dans ma chambre. Je voulais être seule. Seule pour replonger dans mes souvenirs, en écoutant ma musique ou en pratiquant mes airs de guitare. Avant de m'enfermer pour de bon, je suis allée embrasser Jessy qui s'était endormie sur le divan, pour lui souhaiter bonne nuit. Je savais qu'elle aurait peur de dormir dans cet appartement. Le bruit que faisaient les autos qui passaient dans la rue, les sirènes des voitures de police ou d'ambulance la dérangeaient.

J'ai dit un bonsoir glacial à mes parents avant de me retirer. Je les entendais discuter à travers les bruits que faisait le lave-vaisselle.

— Claude, je crois qu'Anne-Sofie n'accepte pas du tout notre déménagement. Elle n'a pas dit un mot du trajet et encore moins arrivée ici. Elle n'a pas mangé et...

— Voyons! Elle a toujours eu ce petit caractère boudeur et solitaire. Laisse faire, tu vas voir quand elle aura commencé l'école et connu de nouveaux amis, ça ira.

Puis mon père a mis un point final à la conversation en disant qu'il était exténué et qu'il préférait aller dormir. Le lendemain, son nouveau travail l'attendait. La joie était à son comble chez nous. Sauf dans ma tête, sauf dans mon cœur.

J'ai finalement fermé la porte de ma chambre. Ça ne m'intéressait plus d'écouter en cachette ce qu'ils pensaient de moi.

17

J'ai dû faire face à ma nouvelle vie de Torontoise dès les premiers jours de notre arrivée. L'anglais me sortait par les oreilles. J'étais presque bilingue à cause de Marc-Alain qui parlait les deux langues parfaitement et qui s'amusait à me faire paniquer en parlant l'anglais, mais là, partout où j'allais pas un mot de français.

Les thérapies de Jessica ont commencé deux jours après notre arrivée. Je suis allée l'y conduire avec ma mère. Jessy était très nerveuse mais elle est ressortie de sa première visite, très satisfaite. Elle semblait apprécier qu'on ne lui donne pas du tout cuit dans la bouche, qu'on la laisse travailler, ce qui n'était pas fréquent à la maison.

Ma mère se rongeait les ongles depuis déjà quelques minutes devant la grande porte vitrée du bureau du médecin.

— C'est long, hein Anne-Sofie?

— Les miracles, ça ne se fait pas tout seul... Laisse-leur le temps.

— Les miracles... Tu as raison.

— On pourrait aller faire un tour, voir les magasins après le rendez-vous de Jessy.

— C'est pas bête ça. Je suis certaine que Jessy va être enchantée! Tu pourras acheter l'affiche que tu veux, Anne-Sofie... Plein de petites choses aussi.

— Toi, qu'est-ce que tu vas t'acheter?

Oui, je pliais l'échine devant ma mère. Je ne lui ferais plus la tête pour des riens. Elle était la seule avec qui je pouvais parler et sortir. C'est donc à cause de Jessy et de ses thérapies que ma mère et moi nous nous sommes rapprochées. Depuis notre déménagement, ma mère se retrouvait tout aussi seule que moi, sans amies pour placoter. Elle n'avait pas trouvé d'emploi mais n'avait pas cherché fort non plus. Elle voulait prendre le temps de s'occuper de Jessy.

— Tu sais, Anne-Sofie, ce n'est pas plus facile pour moi.

— Je sais.

— Je veux me trouver un emploi mais pas comme vendeuse ou caissière. Je pense à retourner aux études. Je voudrais être décoratrice, tu sais comme j'aime ça décorer, bricoler.

Je trouvais bizarre qu'après presque quatre années d'absence, ma mère reporte sur moi tant d'attention et ses confidences. J'appréciais quand même ce rapprochement.

Un soir, nous avons pris la décision de nous inscrire à un cours de danse. Comme l'école n'était pas encore commencée, j'avais besoin d'occuper mon temps et ma mère aussi. Le salon s'est donc transformé en salle d'exercices, car nous avions besoin d'entraînement pour rattraper les autres. Après avoir repoussé tous les meubles, les soirs où mon père rentrait tard, nous prenions quelques heures pour nous mettre en forme. Jessy nous accompagnait en levant de ses petits bras les poids que mes parents lui avaient achetés pour qu'elle s'entraîne elle aussi. À bout de souffle après les sauts et la série de mouvements enseignés par Suzan, nous relaxions, couchées par terre en écoutant une musique reposante. Là, les yeux fermés, je me détendais au maximum revoyant Marc-Alain me sourire.

Il n'y avait qu'un inconvénient à mon nouveau bonheur torontois : mon père. Il ne me parlait pas et de mon côté je ne lui offrais que mes airs bêtes et mes sarcasmes. Je lui reprochais tout. Il avait beau me donner cent dollars par semaine à dépenser, rien n'y faisait ; je ne lui pardonnais pas son indifférence depuis déjà plusieurs années. De plus, il travaillait trop, laissant ma mère seule plus souvent qu'à son tour. Je suis même allée jusqu'à penser que nous avions déménagé seulement pour lui et non pour Jessica du même coup. Qu'il n'avait décidé de partir de notre petite ville que pour le bonheur en signe de dollars que représentait son nouvel emploi. Il avait peut-être une maîtresse. Il était dur avec moi et les seuls instants où je le voyais esquisser un sourire étaient quand il embrassait Jessica pour la féliciter de ses efforts.

— J'ai bougé mes jambes dans l'eau.

— Tu es super ma puce. Une vraie championne.

Ma mère m'avait même laissé entendre qu'il lui reprochait de sortir trop souvent avec moi. J'ai donc pris la peine d'écouter, l'oreille collée sur le mur qui donnait sur leur chambre, un certain soir.

— Tu vas la rendre vieille avant son temps.

— Claude ! Je ne suis pas si vieille que ça ! On a du plaisir ensemble.

— C'est parce que tu lui laisses croire que son beau morveux l'aime encore et qu'elle serait bien mieux si on n'avait pas déménagé.

— Claude, il y a des jours où tu m'exaspères.

J'ai dû m'y résoudre, mon père et moi, ça n'irait jamais.

Je me suis fait quelques amis au cours de danse et c'est un peu plus sûre de moi que je suis entrée au *High school* au mois de septembre suivant.

18

J'ai écrit à Sylvie exactement cinq jours après mon arrivée et ce même jour où j'ai posté ma lettre, j'ai composé le numéro de téléphone de Marc-Alain. J'avais terriblement hâte d'entendre sa voix.

J'ai entendu sonner trois coups et Rick a répondu:

— Rick? Est-ce que je pourrais parler à Marc-Alain?

— Anne-Sofie! Super! Ça va toi?

— Oui, c'est pas trop pire. Je commence à connaître du monde mais je m'ennuie de vous autres!

— Je ne pensais pas t'entendre aujourd'hui! Tu reviens quand?

— Je ne sais pas là...

— Bon, je te passe Marc-Alain, je pense qu'il veut te parler, Bye!

— Salut Rick.

Mon cœur s'est mis à battre comme un fou. Je jouais dans mes cheveux nerveusement. J'ai pris une grande respiration.

— Anne-Sofie?

— Oui, ça va?

— C'est pas pire. Je vois la gang de temps en temps, on a du fun. Toi?

— Je m'habitue ! Je prends des cours de danse avec ma mère, j'aime ça. Je commence à me faire des amis aussi, mais je sais que ça sera mieux quand l'école sera commencée.

— C'est le fun. J'avais peur que tu t'ennuies trop. Fonce, c'est important. Avec tes parents, ça va?

— Avec ma mère c'est correct. Ça fait longtemps qu'on ne s'est pas bien entendues comme ça. Mais pour ce qui est du père, rien n'a changé.

— Toujours en guerre?

— Je pense que oui. Une chance qu'il travaille tard.

— Pour ta sœur, ça marche les thérapies?

— Elle est super en forme, ça lui fait du bien, c'est pas possible.

— Je suis content que ça marche. Mais tu as pris pas mal de temps pour donner de tes nouvelles.

— J'attendais d'en avoir ! Cinq jours, c'est pas si long que ça !

— Je me demandais si tout allait bien.

— Je t'aime Marc-Alain.

— Moi aussi. Tu vas revenir quand?

— Peut-être pour Noël.

— T'es certaine?

— Presque. J'en parle souvent avec ma mère. Il paraît que ça serait possible.

— Tu pourras rester chez nous aussi longtemps que tu le voudras.

— J'ai hâte. Bon, je pense que je vais te laisser parce que si ça coûte trop cher de téléphones, je ne pourrai plus t'appeler. Tu diras « salut » à tout le monde pour moi, oublie pas.

— Je n'oublierai pas. Je t'embrasse.

— Moi aussi.

J'avais raccroché les yeux pleins de larmes. Comme j'aurais aimé qu'il soit là, tout près.

C'était difficile de dormir quand de tels souvenirs me trottaient dans la tête. Je n'avais que le goût de pleurer tant il me manquait. Le pire, j'ai dû me contenter de lui écrire par la suite. Mon père ne voulait rien entendre.

— Tu pleures parce que tu t'ennuies ! C'est pas une bonne façon de l'oublier ça, payer dix dollars de téléphone rien que pour tourner le fer dans la plaie. Franchement, je te pensais plus fine que ça ! Tu gaspilles dix belles piasses pour pleurer trois jours d'affilée parce que d'avoir entendu ton petit morveux ça t'as rendue toute émue... Les filles !

Je l'aurais étranglé. C'était mon affaire à moi si je pleurais. Ce n'était pas ma faute si je m'ennuyais. C'était la sienne. C'était lui qui m'avait amenée à Toronto, pas le Saint-Esprit.

Ma mère m'avait consolée, ce soir-là, dans la salle de bain.

— Laisse-le faire Anne-Sofie. Il est nerveux ton père ces jours-ci et puis il a toujours eu de la difficulté à te comprendre, ce n'est pas du nouveau. Écris-lui à Marc-Alain et ne lui téléphone pas trop souvent, j'essayerai de cacher la facture à ton père.

Elle m'a embrassée et après être allée border Jessica, j'ai pleuré dans ma chambre. Mais ce soir-là, je pleurais de rage.

19

L'école a commencé la dernière journée du mois d'août. C'était très différent de l'endroit où j'allais avant. Après avoir reçu mon horaire, je me suis rendue au local désigné pour l'accueil réservé aux nouveaux élèves. J'ai fait la connaissance de quelques personnes mais rien ne m'attirait à aller vers les autres. Je n'avais pas le goût d'être sociable. De plus, je ne sais pas ce que j'aurais donné pour que quelqu'un me parle en français. Seulement quelques phrases m'auraient tellement rassurée.

L'accueil a duré près d'un heure, après on nous a retourné chez nous. Les cours ne commençaient que le lendemain. Je n'avais plus le goût d'aller à l'école. Durant tout le trajet qui me menait à mon nouveau chez moi et que je faisais à pied, je réfléchissais. Je pensais à tout ce que cette nouvelle vie allait m'apporter et à tout ce que mes amis devaient vivre, ce que j'aurais été supposée partager avec eux, en ces premiers jours de classe.

Le lendemain, j'ai rencontré Sandy qui m'a présentée à son petit groupe de cinq fervents compagnons. Ils étaient gentils. Ils n'arrêtaient pas de me questionner sur ce que je faisais avant d'arriver là, sur mes projets, sur ma vie. Ils voulaient me connaître et je l'appréciais. Ils étaient plus jeunes que ceux avec qui j'avais l'habitude de sortir depuis quelques mois, mais j'avais du plaisir avec eux.

Sandy était celle avec qui je m'entendais le mieux. Je lui téléphonais souvent, ça ne coûtait pas cher, et elle m'aidait beaucoup à perfectionner mon anglais de façon à connaître les expressions les plus courantes et à perdre mon accent trop français.

Même si je n'étais plus seule et que j'avais le moral à la hausse, j'ai coulé presque tous mes cours du premier semestre. J'avais beau étudier à m'en fendre le cerveau, je n'y arrivais pas. Tout était si différent. Une grosse adaptation était à faire. Mon père n'y comprenait rien. Il a donc décidé de m'envoyer dans une école privée, avec un professeur français, pour que je réussisse. Je ne voulais pas changer d'école, car une fois de plus, je me retrouvais sans amis, mais aux grands maux, les grands remèdes.

Malgré l'éloignement après le troisième mois d'école, mes nouveaux amis ne m'ont pas laissée tomber. Sandy venait régulièrement me voir. Elle m'a fait, en compagnie des quatre autres, visiter la ville. Nous prenions l'autobus pour aller nous balader des heures durant. Il m'arrivait de rentrer très tard ou de rester pour la nuit chez Sandy. Mes parents n'étaient pas toujours d'accord.

— Ce n'est pas une petite ville ici. Tu devrais faire attention. Tu ne la connais pas beaucoup cette Sandy-là.

— Laissez-moi vivre! Vous avez voulu que je vienne ici, eh bien...

Mais ils haussaient les épaules et laissaient tout tomber. Ma mère et moi, lorsque nous étions seules, nous nous entendions parfaitement, mais quand mon père était là, j'avais l'impression qu'il l'hypnoptisait et que tous les deux ils étaient prêts à m'écraser. Ce n'était pas drôle, pas drôle du tout.

J'avais commencé à parler de Marc-Alain à Sandy. Aussi lorsque tout le groupe, nous étions ensemble, je trouvais toujours une occasion pour lancer « nous autres chez nous, on fait ça » ou encore « chez nous, c'est mieux... » Mais ils ne s'énervaient pas trop. Ils semblaient comprendre que rien ni personne ne pourrait remplacer mes anciens compagnons.

Sandy me posait beaucoup de questions au sujet de Marc-Alain. Elle aurait aimé le connaître car elle le trouvait bien *cute* sur la photo que j'avais épinglée à mon babillard. Quand je lui parlais de lui, je m'emportais. Je lui avait tout raconté. Quelques fois les larmes me montaient aux yeux et je changeais le sujet de la conversation. Elle comprenait que c'était difficile.

J'ai écris à Marc-Alain et j'ai attendu près de deux semaines sa première lettre. Une fois seule dans ma chambre je l'ai lue.

Salut Anne-Sofie,

Super heureux de recevoir ta lettre. Je m'ennuie comme un con moi aussi. L'école est recommencée et j'étudie pas mal parce que c'est difficile la première année au CEGEP. J'aime ça, c'est différent de la polyvalente et le monde est « trippant ». Rick et Alex te disent « salut » et mes parents aussi. Ils t'embrassent bien fort. Ils ont eu l'air de bien t'aimer. C'est « plate » quand tu n'es pas là. Moi aussi je repense à plein d'affaires et ça me rend triste. Il ne faut pas se laisser abattre, hein ?
J'attends ta visite avec impatience. Excuse le retard de ma lettre, je ne suis pas un grand écrivain de nature.
Grosse bise à toi que j'aime.

Love forever, Marc-Alain XXXXX

Cette lettre-là, je l'ai lue et relue une bonne dizaine de fois. Elle me remontait le moral. Il ne m'oubliait pas. J'avais l'impression de l'entendre comme au cinéma lorsque quelqu'un reçoit une lettre et que nous entendons la voix de celui qui la lui envoie. C'était fou comme mon imagination pouvait me jouer des tours.

C'est la première chose que j'ai dite à Sandy le lendemain. J'avais reçu une lettre de Marc-Alain.

Quelques jours plus tard, j'ai reçu une lettre de Sylvie. Comme j'aurais aimé l'entendre rire pour vrai. Elle non plus elle ne m'oubliait pas. Elle me manquait tellement. Sandy était là, mais ce n'était pas la même chose qu'avec Sylvie.

Avec Sylvie je n'avais pas besoin de tout dire pour qu'elle comprenne mes messages. Avec Sylvie je n'avais pas besoin de tout entendre pour capter les siens. Vraiment, je n'aurais jamais cru qu'un simple bout de papier puisse me faire autant plaisir.

Et les cours de danse continuaient. Avec Sandy, qui dansait depuis déjà plus de onze ans, ayant débuté à quatre ans, j'étais allée dans une belle boutique où l'on ne vendait que des costumes de danse. Sandy la connaissait par cœur. J'avais maintenant des collants noirs sans pieds, un maillot rayé vert et noir et un beau chandail qui me découvrait l'épaule. Ma mère aussi s'était gâtée en s'achetant un maillot à la même boutique, conseillée par Sandy.

Durant les cours, je donnais tout ce que je pouvais. J'entendais le sang battre à mes tempes. Ce n'était pas croyable comme je me sentais bien après. J'avais un surplus d'énergie à dépenser alors je courais, je sautais sans tenir compte des multiples conseils de mon professeur Suzan. Elle me reprochait de dépasser les limites de ma capacité qu'elle avait trouvée grâce à un certain calcul. Elle me disait que mes pulsations étaient beaucoup trop élevées, que je n'étais pas assez habituée à ce genre d'exercice violent, que je manquais d'entraînement. Mais moi, je m'amusais et c'est ce qui comptait. Quand la période de relaxation arrivait, je me couchais sur le petit tapis que Suzan nous distribuait et exténuée je relaxais. Mes rêves imitaient les paroles de la chanson douce qui sortait des colonnes de son accrochées aux quatre coins du local tapissé de miroirs. Les lumières étaient presque toutes éteintes, je sentais des gouttes de sueur couler sur mon visage et dans mon cou. J'étais bien, je n'étais presque plus triste.

20

Tout allait pour le mieux, le mois de novembre tirait à sa fin faisant place au mois de décembre que j'attendais impatiemment. Je m'entendais bien avec mon professeur privé. Il avait un petit local à sa disposition dans une école pas trop loin de chez moi. Je prenais l'autobus pour m'y rendre.

Avec moi, il y avait douze autres étudiants. Tous des francophones qui ne comprenaient rien au *High School* et qui voulaient réussir quand même. Moi aussi je voulais réussir mes études. Mais réussir quoi? Je ne savais pas ce que je voulais faire de ma vie et tout le monde me le demandait. Depuis que j'étais en âge de savoir parler, on m'avait des centaines de fois demandé:

— Qu'est-ce que tu veux faire quand tu seras grande?

— Je ne le sais pas. Peut-être pompier ou médecin ou chanteuse...Oups!

Même à quinze ans et neuf mois, je ne le savais pas encore. Il y avait l'informatique qui était très en demande mais ça ne m'intéressait pas. Marc-Alain, lui, aimait beaucoup les ordinateurs. Moi, ce que j'aimais, c'était écouter les autres, leur parler mais « il n'y a pas d'ouverture là-dedans, il n'y a pas de débouchés dans ce genre de carrière, c'est con-tin-gen-té » m'avaient répondu parents et orienteurs.

Je ne savais vraiment pas ce que j'allais devenir, mais je voulais de l'argent par exemple.

Je n'avais pas beaucoup de travail à faire à la maison avec ce nouveau professeur, mais quand j'en avais, je le faisais dans ma chambre et ensuite je jouais de la guitare. Je m'améliorais beaucoup, même si je n'avais plus de cours. Je ne connaissais pas encore d'endroit à Toronto où j'aurais pu poursuivre ma formation. Je ne m'étais pas encore renseignée mais j'avais l'intention de le faire.

De toute manière, je préférais jouer chez moi, pour mes nouveaux amis ou en l'honneur de ceux que je ne voyais plus ou pour Jessy et ma mère. Il n'y avait qu'un air que je ne jouais que pour moi et c'était celui que Marc-Alain et moi nous aimions: *Babe*. C'était mon secret. Je savais que Jessy et mes parents m'entendaient le jouer par les soirs où mon cœur se serrait trop; mais c'était assise dans mon lit, la porte de ma chambre fermée, que je le jouais. Mes parents me pensaient dépressive. Ils avaient sans doute raison.

Un soir, mon père a demandé à me parler. J'étais plongée dans mes maths. J'ai entendu le son du fauteuil de Jessy et sa petite main frapper contre la porte de ma chambre.

— Anne-Sofie? Papa voudrait te parler.

— Ça ne sera pas long, j'y vais.

Mais qu'est-ce qu'il me voulait? Je m'attendais à tout. J'achetais peut-être trop de timbres.

Je suis allée le rejoindre au salon. Il avait l'air inquiet. Il regardait des photos se passant la main dans les cheveux nerveusement.

— Papa?

— Anne-Sofie, j'ai quelque chose à te demander.

— Quoi?

— Je ne sais pas si tu vas être d'accord... En tous les cas, regarde ces photos. Elles sont supposées paraître dans les magazines pour la publicité de nos produits durant la période des fêtes.

— (...) sont belles.

— Non, c'est justement ça le problème, elles ne sont pas belles.

— Qu'est-ce que tu veux que j'y fasse?

— J'aimerais que tu viennes faire une session de photo. Ça me ferait plaisir de voir ma fille dans les magazines. J'en ai parlé au bureau, ils te donnent la chance d'essayer.

— Moi?

— Oui, toi, il souriait fièrement.

— Tu as pensé à moi?

J'étais folle de joie. Faire des photos. Travailler au même endroit que mon père. Jamais je n'aurais pensé qu'il aurait pu me demander une chose pareille. J'avais l'impression que si mes photos étaient bonnes et acceptées par le comité de publicité, mon père serait enfin fier de moi. Il m'avait demandé à moi de faire les photos, à personne d'autre. Il me faisait confiance à moi!

Les jours suivants, j'ai travaillé très fort pour être en avance dans mes travaux scolaires de façon à pouvoir manquer deux jours de classe pour rencontrer le photographe et les maquilleurs, coéquipiers de mon père.

J'ai pris les sessions de photos bien à cœur. Je souriais sous les multiples projecteurs même si j'étais lasse de rester là à recevoir les *flashs* en pleine figure. On retouchait le maquillage, on me recoiffait, je changeais de chemisier, de bijoux, tout devait être parfait. J'ai pu constater que la carrière de modèle n'était pas de tout repos.

J'ai reçu tout un ensemble des produits quand le résultat final est apparu. Il s'agissait de cosmétiques pour adolescentes, adaptés à la peau de celles-ci. En plus du cachet et de mes belles photos couleurs dans quatre magazines du pays, j'avais de quoi être fière et mes parents aussi.

J'ai attendu que les photos soient prêtes avant de l'annoncer à mes amis. Sandy n'en revenait pas et Sylvie s'est empressée d'acheter l'œuvre. J'avais terriblement hâte de l'annoncer à Marc-Alain et j'espérais qu'il ait déjà vu les photos quelque part. Sa mère collectionnait tous les magazines de mode pour son travail.

J'étais certaine d'être devenue quelqu'un, quelqu'un d'important.

21

Marc-Alain et moi nous correspondions régulièrement. Souvent je lui écrivais quatre à cinq pages mais lui ses lettres, toutes aussi significatives, étaient plus courtes. Je lui avais fait part de mon aventure sous les projecteurs et il était fier de moi. Il trouvait super de me voir dans les magazines. Malgré tout, il semblait un peu jaloux face aux autres garçons qui auraient pu me trouver de leur goût par l'intermédiaire de ces photos. Pourtant, mon adresse n'était pas donnée au bas de la photo, c'était juste si on m'avait reconnue dans ma classe.

De son côté, mon père avait finalement accepté que j'aille passer deux jours chez Marc-Alain durant les vacances de Noël. Ma mère avait travaillé fort pour qu'il se décide à dire oui.

— Ça lui ferait tellement plaisir. Accepte donc. Elle t'a bien rendu service pour les photos. Marc-Alain et Sylvie lui manquent terriblement...

Après d'innombrables tentatives de sa part, mon père avait fini par répondre affirmativement à ma requête. J'avais donc pris du papier vert et mon crayon qui sentait les fraises pour annoncer la grande nouvelle à Marc-Alain. Il ne restait plus que quelques jours avant le fin du mois de novembre.

Je me souviens encore de cet après-midi, un samedi, où j'ai reçu sa lettre. J'étais toute aussi énervée de la recevoir que je l'avais été pour la première. J'ai attendu jusque dans la soirée pour l'ouvrir. Je me suis assise à mon bureau, face à mon babillard sur lequel Marc-Alain me souriait. Quand je lisais ses lettres, je m'assoyais toujours face à sa photo. J'ai ouvert lentement, délicatement sa lettre:

Anne-Sofie,

Je ne t'écrirai pas une lettre très longue aujourd'hui. Ça fait presque dix brouillons que je jette à la poubelle. Je ne trouve pas les mots pour t'expliquer ce que je veux dire. J'ai peur de te faire de la peine.

Je t'aime, mais c'est long des mois et des mois sans toi. On ne peut pas vivre en s'attendant tout le temps. Je sais, tu vas me dire que tu viendras passer deux jours à Noël, mais qu'est-ce que ça change, deux jours sur trois cent soixante-cinq ? Puis tu vas me dire que ça ne fait pas trois cent soixante-cinq jours que tu es partie, mais tu comprends sûrement ce que je veux dire.

Je dois te le dire franchement, je me suis fait une amie. Elle n'est pas plus jolie que toi ni plus gentille. Elle est différente. Une Anne-Sofie il n'y en a qu'une, mais elle n'est plus là. Je suis bête, je le sais et tu dois me détester maintenant. Même si à Noël on ne sera pas ensemble, je t'aimerai toujours en souvenir de nos jours de bonheur-folie.

Le roi des cons.

Le monde venait de me tomber sur la tête. J'ai lancé la lettre à bout de bras. Pourquoi ça m'arrivait à moi? Je n'avais donc pas assez pleuré dans ma vie?

Je me suis couchée, je pleurais en fixant le vide. Je n'avais plus de force pour me défendre. Je me suis surprise de ne pas en vouloir à mon père de m'avoir amenée à Toronto et de m'avoir fait perdre Marc-Alain. Je n'en voulais à personne ou peut-être à tout le monde. La figure cachée dans mon oreiller, les épaules entourées de mon sac de couchage violet, j'ai dû me calmer. Les soubresauts de mon corps sont devenus moins violents. J'ai fait tourner un disque sur mon système de son. Un de mes groupes préférés chantait mélancoliquement l'histoire d'un amour perdu. Mauvaise coïncidence.

J'étais complètement *down* comme l'aurait dit Sylvie. Je me suis mouchée en regardant mes yeux bouffis et la lettre de Marc-Alain chiffonnée par terre près de la porte. Je me suis endormie difficilement, essuyant des larmes tenaces qui se laissaient aller sur mes joues, jusque dans ma bouche et dans mon cou.

22

J'ai pris quelques jours de relâche dans l'écriture de mes lettres. Quand j'en ai eu le goût, j'ai écrit à Sylvie. Avec elle, je voulais partager cette peine qui m'écrasait le cœur. J'en étais rendue à pleurer sans m'en apercevoir. Lorsque j'étudiais, il m'arrivait de constater que je fixais un point invisible sur mon babillard et que mes larmes coulaient doucement sur mes joues blêmes et tombaient à grosses gouttes sur mes cahiers.

Sylvie m'a répondu quelques jours plus tard dans le but de m'encourager, de me consoler. Elle m'écrivait des tas de choses réconfortantes. Elle était vraiment une bonne amie car malgré la distance, elle semblait toujours aussi près de moi. Elle m'avait envoyé une photo d'elle et quelques-unes de sa pièce de théâtre sur lesquelles j'ai reconnu des anciens copains de classe.

J'ai rangé ma guitare dans le fond du placard de ma chambre. Je n'avais plus le goût d'en jouer. Heureusement personne ne m'a questionnée au sujet de cet abandon.

J'ai dû annoncer à mes parents que je n'irais pas passer mes deux jours rêvés chez Marc-Alain. Marc-Alain...

Jessy n'y comprenait rien, mais elle ne m'a pas harcelée pour savoir exactement pourquoi j'avais renoncé à ma visite chez Marc-Alain. Voyage au sujet duquel elle était tout aussi anxieuse que moi.

J'ai donc pris le temps et l'assurance nécessaires pour écrire une dernière lettre à celui que j'avais trop aimé, un soir de décembre, quelques jours avant ce Noël que je n'attendais plus.

Salut Marc-Alain,

J'aurais voulu t'écrire plus tôt mais le cœur n'y était pas. Ne t'inquiète donc pas, j'ai reçu ta lettre. J'ai eu de la peine, c'est vrai, mais ça s'arrange. J'aurais bien aimé être près de toi plus souvent mais que veux-tu ? C'est la vie.

Pour moi, c'est l'école, les sorties avec mes nouveaux amis et puis le sourire qui revient petit à petit. Tu m'as fait pleurer, c'est fini maintenant et puis je crois que je n'aurai plus jamais de larmes. Les réserves doivent s'épuiser à la longue! Tu vois j'ai même le cœur à rire.

Dis bonjour à ceux que j'aime, Anne-Sofie.

Ma lettre était brève, mais comme j'en avais mis du temps pour l'écrire! Je ne voulais plus avoir de ses nouvelles, du moins pas en cet instant où j'ai posté ma lettre, une dernière larme sur ma joue.

J'ai passé Noël avec ma famille. C'était plaisant, nous nous sommes offerts des tas de cadeaux. Nous avons eu des appels téléphoniques de toute la parenté qui nous souhaitait un Joyeux Noël et qui nous invitait pour le Nouvel An. Mais comme le temps ne le permettait pas, une tempête s'étant acharnée sur le Québec, nous avons passé les jours de fête en famille chez nous dans notre grand appartement torontois.

Sandy a organisé une grosse fête et j'en ai fait partie. J'ai connu plusieurs de ses amis, de ses cousins et cousines.

À ma grande surprise, je ne passais plus autant de temps à penser au passé. Seulement les lettres de Sylvie accompagnées de petits mots de mes anciens compagnons, me rendaient nostalgique.

23

A l'approche de mon seizième anniversaire, mes parents m'ont offert en cadeau la chance d'aller visiter Sylvie. La seule avec qui j'entretenais toujours une fréquente correspondance.

J'étais emballée à l'idée de la revoir. Une seule ombre à ma joie: Marc-Alain. Lui de qui je ne rêvais presque plus depuis Noël et que, sans doute, je rencontrerais.

Il faut dire que c'est toute énervée que j'ai fait mes bagages. On aurait dit que je partais pour trois mois alors que je ne partais que pour trois jours.

J'ai pris le train un vendredi matin, ma mère et Jessy sont venues me reconduire à la gare. Elles m'ont embrassée vingt fois, ma mère m'a fait mille et une recommandations. C'était la première fois que je faisais un voyage seule. Le train ce n'était pas comme l'autobus pour me rendre au centre-ville, ou chez Sandy. J'avais quelques heures à y passer et je ne pouvais revenir à la maison si par malheur le goût m'en prenait.

Avec mon *walkman* sur les oreilles, j'ai fait le voyage regardant le paysage défiler à l'envers à grande vitesse. Déjà sept mois que je vivais à Toronto. Je me demandais comment diable j'avais eu la force d'y rester si longtemps sans revenir chez nous.

J'étais énervée. J'avais une espèce de mal de ventre en pensant aux retrouvailles que j'allais avoir avec Sylvie et mes vieux amis, Jodin, Mario, Steve et les autres. Comment cela allait-il se passer? Je m'imaginais toutes sortes de rencontres, la tête appuyée sur le dossier du siège de première classe du wagon. Je pensais aussi à mon père qui ne m'avait pas souhaité un bon voyage. Il travaillait mais il aurait pu tout de même me téléphoner ou tout simplement me le dire avant son départ pour le bureau. Je savais que c'était ma mère qui l'avait poussé à me payer le voyage. Il était tout à fait contre. Je l'avais entendu en écoutant contre le mur de ma chambre qui donnait sur celui de son bureau-maison.

— J'étais content qu'elle reste ici pour Noël. Aurais-tu aimé la voir revenir en pleurant! C'est certain qu'elle doit s'ennuyer de ses anciens amis, mais de là à payer un prix de fou pour les revoir et pleurer par la suite à s'en fendre l'âme, parce que les avoir revus l'a bouleversée: il y a une marge. C'est pire que les téléphones ça. En plus, ils vont l'avoir oublié, les jeunes ça change vite.

Il n'y avait rien à faire, je voulais les revoir. J'avais envie aussi de revoir Marc-Alain. Je souhaitais le rencontrer et qu'il me dise, des sanglots dans la voix, qu'il m'aimait encore et qu'il voulait plus que tout que je reste avec lui. Je n'avais apporté que mes vêtements neufs. Je voulais lui montrer que j'étais belle et que la mode, ça me connaissait. Je voulais que sa nouvelle amie fonde dans ses jeans bon marché en me voyant mieux qu'elle. Mieux qu'elle.

Au fond, j'étais certaine que son amie, que je ne détestais pas vraiment, devait être très jolie, qu'elle ne devait pas porter de jeans bon marché et j'en aurais pleuré. Mais qu'est-ce que j'avais à miser ainsi sur l'apparence?

Les heures passaient et la distance qui me séparait de mes souvenirs d'enfant devenait de plus en plus petite, accessible. Quand le train s'est finalement immobilisé, j'ai couru chercher mes bagages et me suis rendue aux portes de la gare où j'ai aperçu Sylvie qui m'attendait avec Steve et Vincent. Ils m'ont tout d'abord regardée sans rien dire puis ma grande copine est venue me sauter dans les bras.

— Anne-Sofie, que ça fait longtemps!

Elle m'a embrassée sur les deux joues, émue.

— Bon! Voilà les émotions et puis tu ne nous laisses même pas la chance de l'approcher!

Vincent et Steve m'ont embrassée à leur tour. Steve avait une haleine aux fruits.

— Ça sent bon!

— Ça, c'est un vieux truc de «cruiseur».

— Tu changes pas?

— C'est chronique ma chère ! Macho de même, il ne s'en fait plus, a répondu Sylvie, ne manquant jamais une occasion de piquer son frère.

Comme j'en avais des choses à leur raconter et comme il s'en était passées depuis mon départ de cette petite ville qui n'avait pourtant l'air de rien.

Ils me taquinaient à propos de mes photos dans les magazines. Je me bagarrais avec Steve qui m'ébouriffait les cheveux. Je tenais la main de Sylvie. Vincent faisait le fou. Rien n'avait changé entre nous.

24

Après la vaisselle chez les Bartelet, Vincent nous a proposé d'aller faire un tour en ville.

— Vers onze heures, il va y avoir plein de monde au *Bistrot*. En plus, Anne-Sofie, tu vas pouvoir revoir toute la gang.

Sa proposition avait été acceptée à l'unanimité. Sylvie et moi nous sommes allées ranger mes bagages dans sa chambre. Ses parents avaient soupé avec nous, ça faisait tellement plaisir de les revoir. Après ils avaient décidé d'aller visiter la grand-mère Bartelet, nous laissant seuls « entre jeunes ». Sylvie et moi, nous avions hâte de nous retrouver seules pour placoter comme avant. Dans sa chambre, nous nous sommes étendues sur son lit, ça allait mieux pour parler.

— Franchement, c'est comment à Toronto ?

— C'est correct. J'ai pas mal d'amis maintenant et puis il y a l'école, mes cours de danse comme je te l'ai écrit. On s'organise des parties aussi.

— C'est pour ça que tu t'habilles comme ça maintenant... C'est beau. Elles sont capotantes tes boucles d'oreilles.

— Vois-tu, les filles avec qui je sors, elles suivent toutes la mode. J'avais l'air folle à côté d'elles.

— Je comprends. Mais ça doit coûter un prix de fou ce linge-là.

— Bof... C'est mon père qui paye. Il fait des gros salaires maintenant. Ça lui fait rien de payer, je pense. Toi, qu'est-ce qui se passe dans ta vie?

— Moi? Je vais toujours à notre chère vieille polyvalente. Je fais partie de la troupe de théâtre, c'est super. Je vois Vincent pas mal souvent aussi. Je l'aime.

— Tu as de la chance ma vieille. Tu n'as peut-être pas ta photo dans la revue *in* du mois et trois garde-robes, mais tu es bien en crime! Tu fais ton théâtre, tu aimes ça, tu as plein de talent, plein de chance de réussir. Tu as un tas d'amis et puis il y a Vincent.

— Je sais. Toi ça ne va pas, hein? C'est à cause de Marc-Alain... Mais il faut le comprendre même si c'est super plate de sa part. Tu dois avoir eu de la peine. J'aurais pas aimé être à ta place.

— J'ai pleuré. Comme une bonne à part ça! Je pensais à toi. Je me disais que si j'avais encore été près de toi, je serais venue te voir. Tu aurais tout compris, tu m'aurais encouragée.

Elle a mis sa main sur mon épaule, Sylvie, mon amie.

— Il me semble que ça ne peut pas finir comme ça Marc-Alain et toi. Vous vous aimez trop.

— Je le sais. Mais il a une amie, elle est là, elle!

Mon regard s'était durci, mon cœur aussi. Une autre Marie-la-Pieuvre avait pris place.

— C'est vraiment plate. Tu devrais le voir! Il n'est plus comme avant. Avant le CEGEP je veux dire.

— Qu'est-ce qu'il a?

— Bof... On ne le voit plus souvent. Il faut croire que ses études lui prennent beaucoup de temps. Il capote sur l'informatique. Il s'habille à la mode aussi, un peu pour les mêmes raisons que toi. Il a l'air de trouver qu'on est plus son genre. Tu n'as pas vu sa nouvelle auto, toi.

— Une auto ? Qu'est-ce qu'il a fait de sa petite van?

— Au diable la van, hein ? Il a de l'argent, il s'en sert. Bon, il faudrait peut-être y aller...

Elle s'est levée en souriant et en empoignant son énorme sac à bandoulière qui traînait près du lit. Elle portait de bons vieux *Levi's* avec un gros gilet de laine et des gants bizarres, les bouts des doigts coupés. Maryse les lui avait donnés pour Noël.

Je me suis arrêtée près de sa garde-robe regardant mon pantalon trop chic.

— Tu me passes une paire de jeans?

Sylvie a éclaté de rire, me prenant dans ses bras, toujours aussi démonstrative.

— C'est certain! Prends la paire que tu veux. Il y en a encore des pas mal.

Vincent et Steve regardaient la télévision au salon.

— On part?

— Si vous êtes prêts.

Sylvie a embrassé Vincent sur l'oreille, c'était son habitude. Steve et moi, côte à côte, nous les avons suivis jusqu'au *Bistrot* qui se trouvait à environ vingt minutes de marche.

Nous avons passé devant ma maison. C'est-à-dire devant mon ancien chez-moi. Il n'y avait pas de lumière. Je me sentais mal, Steve a pris ma main. Je ne sentais pas sa main à cause de nos gants mais j'imaginais sa chaleur, que j'aurais sûrement aimée s'il n'y avait pas eu Marc-Alain.

— Ça fait longtemps que tu n'es pas venue dans le coin, hein?

L'haleine aux fruits de Steve faisait de gros nuages blancs dans l'air quand il parlait.

— Pas mal. Ça fait drôle de ne pas pouvoir y aller, entrer comme si de rien n'était. C'était beau, hein? ai-je répondu fixant la fenêtre de mon ancien refuge.

— Ça l'est encore, je suis venue l'autre jour. - Sylvie nous avait interrompus. - La femme m'a demandé d'aller garder ses bébés, des jumeaux de huit mois. C'est dans ta chambre qu'un des bébés dort. C'est bien décoré mais je me sentais bizarre à l'idée qu'en ouvrant la porte, ce n'était pas tes affaires que je verrais... Mais au bout de trois ou quatre fois, je me suis habituée. On s'habitue à tout.

— C'est vrai, on s'habitue à tout, ai-je répliqué, dans la lune.

25

Rapidement nous sommes arrivés au *Bistrot*, ce cher petit hôtel. J'étais toujours aussi nerveuse à l'idée de voir Marc-Alain mais j'essayais de le cacher en évitant de fixer tous les garçons aux cheveux noirs qui avaient un peu son allure. Je me traitais d'idiote mais aussitôt que je croyais l'avoir vu, le rouge me montait aux joues et le souffle me manquait.

Avant d'entrer, Vincent m'avait prêté une carte d'identité appartenant à sa sœur qui était majeure depuis quelques mois. Par chance, le bonhomme de l'entrée ne m'avait pas demandé mes cartes. Mes nouveaux seize ans m'allaient à ravir mais il avait dû juger que j'en avait plus.

J'étais rendue à mon deuxième *rhum and coke* lorsque Rick est arrivé, accompagné d'une grande blonde. J'étais tout énervée à l'idée que peut-être Marc-Alain les suivait... mais non.

Quand Rick m'a aperçue, assise avec tout le monde, il a couru vers moi tenant par le bras son amie mal à l'aise.

Il m'a sauté au cou et embrassé sur les deux joues.

— Wow! Qu'est-ce que tu fais dans le bout?

— Je m'ennuyais, ça fait que je suis venue vous voir.

— Super! Je te présente Sandra. Elle, c'est Anne-Sofie, une amie... Elle reste à Toronto maintenant.

Elle m'a saluée froidement. Je ne devais pas être la bienvenue dans son cœur, ce soir-là. Ses yeux semblaient m'avertir que Rick était avec elle et qu'il devait le rester. Pourtant, il était clair qu'entre lui et moi, ce n'était pas de l'amour mais bien une amitié extraordinaire. Elle ne pouvait sans doute pas comprendre.

Rick m'a raconté ce qu'il devenait. Lui et quatre de ses amis avaient formé un petit groupe de musiciens et chaque semaine, à deux reprises, ils pratiquaient leurs futurs succès, au sous-sol chez lui.

— Je pense qu'on est pas mal bons. C'est pas pour nous vanter, mais on s'en tire bien. Tu devrais nous accompagner avec ta guitare comme quand tu venais chez nous!

Je lui ai répondu d'un signe négatif de la tête, à nouveau triste. Confus, il a cherché à s'excuser d'avoir fait allusion à quelque chose qui me ferait penser à Marc-Alain.

— Je ne voulais pas te faire penser à ça... On m'a souvent dit que je parlais trop! Excuse-moi.

— C'est pas grave. Tu n'es pas le premier qui me fait penser à Marc-Alain ce soir. On m'a même demandé pourquoi il n'était pas avec moi.

Je souriais déjà quand il m'a pincé la joue pour me consoler. Mais des petits gestes comme ça me donnaient le goût de pleurer.

Il a commandé une grosse bière et son amie aussi. Celle-ci semblait manifestement en colère, sa chaise aurait été garnie de clous qu'elle n'aurait pas paru plus inconfortable. Elle ne parlait pas. Ma présence, visiblement, la tourmentait.

Tout d'un coup, elle s'est levée lançant sèchement un « Je vais à la salle de bains ». Rick s'est alors aperçu qu'elle bouillonnait. Emportés par la joie de nous revoir, nous avions presque oublié Sandra.

— Qu'est-ce qu'elle a? Elle est à pic ce soir.

— On ne lui a presque pas parlé Rick.

— On a essayé, c'est elle qui ne voulait pas parler. Elle capote!

— Elle devait trouver ça plate. J'aurais peut-être pas aimé être à sa place, moi.

— Tu sais, elle est gênée mais elle est super Sandra. C'est pour ça que je sors avec.

— J'en suis sûre.

Quand elle est revenue quelques minutes plus tard, son regard n'avait pas changé, même si on y voyait plus de bleu autour. Elle a demandé à Rick s'il voulait danser; tout sourire, il a accepté. Je les regardais danser serrés l'un contre l'autre. Rick l'embrassait et lui parlait à l'oreille. Elle souriait, éclatait de rire et l'embrassait à son tour. Ils avaient l'air de s'aimer. Comme j'aurais aimé que quelqu'un me fasse danser ce soir-là. Mais le quelqu'un que j'attendais n'est pas venu.

À plusieurs reprises pendant la soirée, j'ai ajouté aux conversations: « Nous autres à Toronto, on fait ci, on fait ça... » et Sylvie n'appréciait pas du tout. Avant de s'endormir, le soir dans sa chambre, elle m'a dit:

— Je suis tannée de t'entendre parler de Toronto. On n'est plus tes amis, nous autres?

J'ai essayé de lui expliquer que tout était pêle-mêle dans ma tête. Quand j'étais à Toronto, je ne parlais que de mes amis du Québec et quand j'étais au Québec, je ne pouvais pas m'empêcher de parler de mes nouveaux amis. C'était comme si j'avais peur de ne pas avoir d'importance où je me trouvais, alors je prenais la parole pour affirmer que j'avais, moi aussi, des amis qui étaient absents. Sylvie voulait comprendre mais sa bonne volonté avait des limites.

Nous sommes entrées aux petites heures du matin, fatiguées, la tête nous tournait. J'étais contente d'avoir revu presque tous mes anciens compagnons. Après avoir placoté deux heures durant, Sylvie et moi, nous nous sommes endormies encore vêtues de nos vêtements de la soirée.

En fermant les yeux ou même en fixant le plafond, je revoyais les images de ma soirée. Le sourire de Rick et de Sandra qui, réconciliés, avaient discuté avec moi une partie de la soirée, mes anciens copains avec qui j'avais dansé, mais Marc-Alain, je ne l'avais pas revu. J'avais mal, très mal. Je savais que je ne le reverrais pas, car le lendemain soir j'allais coucher chez ma grand-mère qui m'attendait avec mes cousines, et le surlendemain en début d'après-midi, je retournais chez moi. De toute façon, Marc-Alain ne venait pas chez lui pour le week-end. Il étudiait désormais à l'extérieur de notre petite ville.

26

De retour dans le train, mon *walkman* sur les oreilles, je pensais à mon petit voyage au pays des souvenirs. Sylvie et moi, nous nous étions encore laissées en pleurant.

Elle avait tout essayé pour que je revois Marc-Alain mais le temps avait manqué. Elle était vraiment ma meilleure amie mais je n'étais plus aussi triste à l'idée de repartir. J'avais finalement compris que ma ville, mes amis, bref ma vie, ne se rattachait plus à elle. Tout le monde avait été heureux de me revoir et moi aussi, de mon côté, j'avais adoré mes deux jours de vacances parmi eux mais j'avais senti que je ne faisais plus partie du groupe. Il y a toujours un « mais ».

Ma visite chez ma grand-mère avait été moins excitante. Je n'avais cessé de répéter les nouvelles de ma famille aux oncles, tantes, cousins et cousines. Une certaine tension s'était même fait sentir lorsque ma grand-mère, toute fière, avait montré aux autres, ma photo dans un magazine.

— On aurait dit que tu avais un bouton là, regarde... C'était ma gentille cousine au visage boutonneux.

— Hon! Regarde, c'est quoi cette tache-là? Ça te déforme la bouche un peu...

Ce n'était pas toujours rose les relations familiales, mais il fallait passer outre à ces charmantes remarques et garder le sourire pour ma grand-mère, aussi fière de moi que de sa petite boutonneuse première de classe.

Mon grand-père était venu me reconduire à la gare. Il avait neigé.

Plus l'heure avançait, plus j'étais anxieuse à l'idée de retrouver mon chez-moi et mes amis. La vie allait reprendre son cours normal. Finies les émotions fortes ou les rêves empreints d'espoir ayant pour visage celui de Marc-Alain. Je me disais que notre chance était passée, que c'était une histoire que je raconterais, en riant, un jour à mes enfants.

J'avais vécu quelque chose de merveilleux mais c'était chose du passé. Quelque chose qui fait mal longtemps, trop longtemps.

Je devais m'y faire, ma ville s'appelait désormais Toronto, mon amie la plus proche, Sandy et moi, Anne-Sofie Richard, j'étais bien ainsi.

27

Quelle n'a pas été ma surprise lorsque j'ai vu mon père au salon, à mon retour. De la gare, j'avais pris l'autobus jusqu'au centre d'achat à quelques pas de chez moi. Je savais que ma mère et Jessica étaient parties à une thérapie, je croyais donc me retrouver seule en arrivant. Mais non, mon père était allongé sur le divan lisant un bouquin au gros titre jaune: *Marketing*.

— As-tu fait un beau voyage?

— Oui.

J'ai traversé le salon d'un pas rapide, encombrée par mes deux sacs de voyage.

— Reste un peu.

— Pourquoi? Je voudrais aller me reposer.

— On pourrait jaser.

Il s'était levé et se dirigeait vers moi après avoir déposé son livre sur la petite table de bois antique.

— Tu ne pense pas qu'il est temps qu'on se parle? Tu as eu seize ans et je ne t'ai même pas souhaité un bon anniversaire.

— Pourquoi tu n'es pas venu me chercher à la gare? J'ai fait tout le chemin en autobus et à pied pendant que toi, tu lisais bien allongé sur le divan! Laisse faire les discussions! Tu me souhaiteras «bon anniversaire» une autre fois.

Je sortais de la pièce quand il m'a mis la main sur l'épaule pour m'en empêcher. J'ai laissé tomber mes sacs, les nerfs en boule.

— Anne-Sofie, donne-moi une chance. Je m'excuse de ne pas être allé te chercher à la gare. Je ne savais pas à quelle heure tu allais arriver. Viens t'asseoir, deux petites minutes.

Je suis allée m'asseoir sans lui sourire. Encore un peu et je criais. Il avait sûrement pris un verre pour me parler ainsi.

— Qu'est-ce qu'il y a papa? Tu ne te sens pas bien? J'ai fait quelque chose de mal? Tu ne voulais pas que j'y aille, hein? C'est ça?

Je me contrôlais assez bien.

— Non. Je voulais que tu y ailles parce que, crois-le ou non, j'ai fini par comprendre que ça te ferait du bien de revoir tes anciens amis et que tu l'aimes encore ton jeune morveux, excuse-moi, ton Marc-Alain.

— Bon! Comme c'est touchant? Tu as enfin tout compris comme par magie. Arrête ton petit jeu, tu vas me faire pleurer.

— Anne-Sofie, je t'en prie.

Il avait la voix enrouée. J'étais certaine qu'il allait pleurer. Je n'avais jamais vu mon père pleurer ou peut-être une fois. C'était le jour de l'accident de Jessica.

Le mauvais souvenir me brûlait les yeux. Mon père s'était appuyé contre le mur, son verre à la main.

— Anne-Sofie, je te souhaite sincèrement un bon anniversaire.

Je l'ai foudroyé du regard.

— Veux-tu rire de moi? J'ai seize ans depuis plus de deux semaines! Maman me l'a offert « votre » cadeau, on n'en parle plus.

Il a baissé la tête, le liquide doré de son verre s'est renversé sur sa main. Il ne l'a pas essuyé.

— Je peux aller ranger mes bagages maintenant? Papa, as-tu fini?

— Non.

— Tu es soûl! Qu'est-ce que tu veux que je dise?

— Rien! Ferme-la, c'est tout!

Il avait monté le ton. J'ai sursauté.

— Ne crie pas papa, tu le sais, ça m'énerve!

Il s'est avancé, a déposé son verre sur la table.

— C'est toi qui a commencé à crier Anne-Sofie... L'as-tu revu Marc-Alain? Sa voix s'était faite plus douce.

— NON!

J'avais crié. Je m'étais levée prête à le frapper si jamais il se moquait de moi.

— Il t'a oubliée, hein?

— Dis pas ça! Tu n'as pas le droit de dire ça! Tu n'as pas le droit!

Et je l'ai frappé. Mes poingts tambourinaient sur sa poitrine. Il ne bougeait pas. Je criais et il ne disait rien.

Et puis vlan! J'ai éclaté en sanglots pour la première fois devant quelqu'un depuis ma rupture avec Marc-Alain. Pour la première fois, depuis longtemps aussi, je pleurais devant mon père. Il me consolait timidement en me tapotant le dos comme quand j'étais petite.

Son t-shirt à l'effigie des Expos était tout mouillé par mes larmes. J'ai reniflé quelques bons coups et les spasmes qui ébranlaient mon corps ont diminué, tout doucement.

— Je m'excuse, papa.

— Bof! C'est rien. Tu sais, il n'y a rien comme un bon coup de poing pour réveiller quelqu'un...

Je crois qu'il avait le goût de rire pour détendre l'atmosphère, moi, un peu moins.

— Je vais aller ranger mes affaires.

Mon père m'a souri. Il m'a paru plus jeune. Ma mère avait eu raison de tomber en amour avec lui. Il était beau.

J'ai couru à ma chambre et rapidement j'ai fermé la porte derrière moi. J'avais besoin d'être seule.

Achevé d'imprimer à Montmagny
par les travailleurs des ateliers Marquis Ltée
en août 1987